中国古代文化故事(第一辑)

全注汉语拼音·英文提要

中国古代名著故事

刘晓雨　编

北京大学出版社
北　京

图书在版编目(CIP)数据

中国古代文化故事(第一辑):中国古代名著故事/刘晓雨编.-北京:北京大学出版社,2001.1

ISBN 7-301-04663-4

Ⅰ.中… Ⅱ.刘… Ⅲ.对外汉语教学-语言读物 Ⅳ.H195.5

中国版本图书馆 CIP 数据核字(2000)第 67403 号

书　　　名:中国古代文化故事(第一辑):中国古代名著故事
著作责任者:刘晓雨 编　张克西 英译
责 任 编 辑:吕幼筠
标 准 书 号:ISBN 7-301-04663-4/H·0554
出　版　者:北京大学出版社
地　　　址:北京市海淀区中关村北京大学校内　100871
网　　　址:http://cbs.pku.edu.cn
电　　　话:出版部 62752015　发行部 62754140　编辑部 62752028
电 子 信 箱:zpup@pup.pku.edu.cn　gl@pup.pku.edu.cn
排　版　者:兴盛达打字服务社　62549189
印　刷　者:北京飞达印刷厂
发　行　者:北京大学出版社
经　销　者:新华书店
　　　　　　890 毫米×1240 毫米　A5 开本　4.25 印张　69.1 千字
　　　　　　2001 年 1 月第 1 版　2001 年 4 月第 2 次印刷
定　　　价:12.00 元

出 版 说 明

　　学习一种语言,可以掌握一种工具。如果结合相关的文化知识来学习,不仅可以避免枯燥,还容易学得快,学得牢固。

　　这套《中国古代文化故事》就是为已经初步掌握汉语的读者继续深入学习而编写出版的,使大家在学习汉语的同时,了解中国古代文化的一些侧面。它可以用于自学,教师也可以有选择地在课堂讲解。

　　每册包括故事若干篇。所选古代故事,用现代口语讲述,并且加注了汉语拼音,以方便阅读。拼音按字注音,轻声不标声调,"一"和"不"标变调;不连写,不用大写。每篇之后还有故事梗概的英文介绍。

　　这套书可以供学习汉语的外国读者使用,国内民族地区的读者也可用以学习汉语,当然也是汉族地区小学生适合的拼音读物。竭诚欢迎广大读者对编选工作提出批评和建议。

目　　录

chú sān hài
1．除三害

（南朝·宋）刘义庆《世说新语》

有个叫周处的人，年轻的时候仗着自己身强力壮，横行霸道，经常做些欺负人的事，人们实在受不了了。正好当时的水里有一条恶龙兴风作浪，山上有一只猛虎出没，经常吃人。当地人苦于没有办法对付，于是就把周处和恶龙、猛虎放在一起，称为"三害"。

一天，周处从别人那里听到了恶龙和猛虎的事，心想：平时大家都说我只会欺负人，他们哪里知道我是个了不起的英雄呢？如果我把恶龙和猛虎都打死，为大家除掉这两个祸害，人们就都要来感谢我了。

于是，周处先来到山上，翻山越岭地找，终于找到了那只猛虎，和它搏斗了好久，最后把老虎打死了。周处想：好了，现在少了一害了。

他又来到水中找恶龙。恶龙有时浮上水面，有时又沉入水底，很不好找。周处跟着恶龙的踪迹，终于找到了它，就跟它打了起来。一连三天三夜，周处都没有从水里上来。人们以为周处已经死了，就非常高兴地说："这下可好了，三害都没有了，从此我们可以太太平平地过日

zi le
子了。

méi xiǎng dào sān tiān hòu　zhōu chù cóng shuǐ li chū lái le
没想到三天后，周处从水里出来了。

yuán lái jīng guò sān tiān sān yè kǔ dòu　tā zhōng yú bǎ nà tiáo è
原来经过三天三夜苦斗，他终于把那条恶

lóng shā sǐ le　rén men jiàn dào le tā　bú dàn méi yǒu gǎn xiè
龙杀死了。人们见到了他，不但没有感谢

tā　fǎn ér dōu xià de pǎo kāi le　āi yā　yuán lái zhōu chù
他，反而都吓得跑开了："哎呀，原来周处

méi yǒu sǐ a　zhè xià kě huài la　sān hài　yǒu yí hài hái zài
没有死啊！这下可坏啦，'三害'有一害还在

ya　zhōu chù kàn dào dà jiā duì zì jǐ zhè yàng de tài dù　xīn
呀！"周处看到大家对自己这样的态度，心

里非常难过，他想：我替他们除掉了两

大害，他们还是希望我死，看来在人们心

里，我是跟恶龙和猛虎一样的祸害呀。唉，

我以前对他们实在是太坏了。他很想马

上改过自新，但是又怕不会成功。他见

到了一位有道的高人，就说："我真想

重新做人，可是时间已经过去那么多了，

恐怕我这一辈子都将一事无成了吧？"

那位高人说："古人说，如果早晨得到

了真正的道义，那么晚上死了也没有

什么可惜的。一个人怕的是没有大志，如果

有志，又何必担心什么时间早晚呢？况且

你还年轻，前途还很远大呢，还怕将来做

bù chéng dà shì ma
不　成　大　事　吗？”

zhōu chù tīng le　jué de hěn shòu qǐ fā　cóng cǐ　tā tòng
周　处　听　了，觉　得　很　受　启　发。从　此，他　痛

gǎi qián fēi　bú zài zuò huài shì　hòu lái　zhōng yú chéng le yí
改　前　非，不　再　做　坏　事。后　来，终　于　成　了　一

wèi duì shè huì yǒu yòng de rén
位　对　社　会　有　用　的　人。

Eliminating the Three Pests

(South Dynasty, Song) Liu Yiqin *New Talking about the World*

Once there was a man named Zhou. When he was young he used to bully others, so everyone hated him. During that time there was also a dragon that flipped over boats in the sea, and a tiger in the mountains that ate people. People name these three the three pests. When Zhou heard of the other two pests, he thought if he eliminated them, then people would think of him as a hero. So he went on the mountains and killed the tiger. Then he went in the water to kill the dragon. He was under water for three days. People thought both the dragon and he had died, and were very happy. However after three days, he got out of the water after killing the dragon. But people didn't thank him; they were disappointed he was still alive. When Zhou saw the people's reactions, he realized he was worse than the other two pests. He decided to start a new life, and later became a useful person in society.

2. 李寄斩蛇

lǐ jì zhǎn shé

jìn gān bǎo sōu shén jì
（晋）干宝《搜神记》

从前，在东越有一座大山，山的西北有一个又深又大的洞，里面住着一条大蛇，有七八丈长、十几抱粗，它经常伤害过路的行人，周围的老百姓都特别害怕它。当地的官员曾经多次派人去消灭大蛇，但都被它咬死了。没办法，人们只好经常用牛羊去祭它，这才稍稍安定了一点儿。可大蛇又在梦里向人们说："你们要送十二三岁的女孩子来给我吃！不然我还是要吃人的！"官员们实在没有办法，

zhǐ hǎo huā qián mǎi lái yì xiē nǚ bì huò yǒu zuì rén jiā de nǚ
只好花钱买来一些女婢或有罪人家的女

ér dào jì shé de shí hou sòng dào shé dòng kǒu qù dà shé
儿，到祭蛇的时候，送到蛇洞口去，大蛇

jiù chū lái bǎ nǚ hái zi chī diào zhè yàng yǐ jīng chī diào jiǔ ge
就出来把女孩子吃掉。这样，已经吃掉九个

nǚ hái zi le
女孩子了。

zhè yì nián yòu kuài dào jì shé de shí hou le hé shì de nǚ
这一年，又快到祭蛇的时候了，合适的女

hái zi hái méi yǒu zhǎo dào zhè shí yǒu yì jiā xìng lǐ de yǒu
孩子还没有找到。这时，有一家姓李的，有

liù ge nǚ ér zuì xiǎo de yí ge míng jiào lǐ jì tīng shuō le yào
六个女儿，最小的一个名叫李寄，听说了要

rén jì shé de xiāo xi jiù xiǎng zì yuàn qù jì shé tā fù mǔ dà
人祭蛇的消息，就想自愿去祭蛇，她父母大

chī yì jīng shuō nǐ fēng le zěn me zì jǐ qù sòng gěi dà
吃一惊，说："你疯了，怎么自己去送给大

shé chī a lǐ jì shuō nín èr lǎo méi fú shēng le liù ge
蛇吃啊！"李寄说："您二老没福，生了六个

nǚ ér què méi yǒu yí ge nán hái wǒ men zhǐ néng bái bái làng
女儿，却没有一个男孩。我们只能白白浪

fèi nín de yī shí què bù néng gěi nín yǎng lǎo sòng zhōng zhè
费您的衣食，却不能给您养老送终，这

yàng nín yǒu hái zi hái bù rú méi yǒu ne jì rán wǒ zhè yàng wú
样您有孩子还不如没有呢。既然我这样无

用，您就不如把我卖了，还可以得几个钱贴补生活，这不是好事吗？"父母哪里肯听，坚决不让她去。

谁知李寄早就打定了主意，一定要去，于是，就偷偷地从家里跑出来，找到负责祭蛇的官员，说自己愿意去。官员听了，又吃惊又感动，问她："你在去之前想要什么东西吗？要多少钱？"李寄说："请把该付给我的钱送到我父母家里。另外，请给我一把好剑，还要一条斗蛇犬。"官员听了，暗暗吃惊，但他们还是按照她的要求把东西准备好了。

到了祭蛇那一天，李寄先带着剑和狗来

到一座庙里，用米糕和蜜糖混合成一坛
蜜酒，她把蜜酒带到山上，放到蛇的洞
口。大蛇出来了，闻到了蜜酒的香气，尝
了一点儿，觉得味道很好，就"咕咚咕咚"
地喝起来。李寄见大蛇只顾喝蜜酒，就大声
地叫斗蛇犬："去！"狗朝大蛇扑了上
去，同时，李寄也手拿利剑跳上前去和大

蛇搏斗起来。大蛇正一心一意地喝蜜酒呢，一点儿也没有想到会有人来袭击它，所以它身上很快就受了好多剑伤，疼得它在地上翻滚。李寄一剑接一剑地向大蛇刺去，不一会儿，大蛇就因为伤重而死掉了。

李寄进到蛇洞里，看到地上有不少人的骨头，那都是前面九个女孩子的尸骨。李寄一边把这些尸骨拿出蛇洞，一边叹息着说："你们就是太怯懦了，不敢反抗，才当了蛇的食物，真是可悲呀！"

越王听说了这件事，觉得李寄非常机智勇敢，就封她为后，也赏赐了她的父母姐妹。从此，东越就再也没有什么妖怪了。

Li Ji Killing the Snake

(Jin Dynasty)Gan Bao *Records of the Search for Spirits*

Once upon a time in Eastern Yue there was a big mountain, on the northwest side of the mountain there was a cave where a huge snake lived. The snake was over ten meters long and also very thick. The snake continually injured people passing by, so people were very afraid of it. The government officials ordered people to have the snake killed, but the snake killed them each time. So they fed the snake often with animals. But the snake demanded to eat girls through someone's dream, otherwise it'll come out and eat people. The local officials had to buy girls from poor homes to feed the snake.

One year, an appropriate girl was yet to be found to feed the snake, then the youngest daughter of the Li family, named Li Ji volunteered herself. Her parents firmly refused to let her go, but Li Ji went directly to the officials without telling her parents. The officials were surprised and touched, they asked her if she wanted anything. Li Ji asked for some money to be sent to her home, a spear and dog for her to take along. On the day when she was delivered to the snake , Li Ji first went into a temple to mix up a jar of mead, then placed the jar in front of the snake's cave. The snake came out and started to eat the mead, at this time Li Ji commanded the dog to leap onto the snake, she herself also leapt forward to fight the snake with the spear. The snake got a surprised attack, soon it was covered with wounds, rolling on the ground in pain. Li Ji killed the snake after many stabs.

The king of Yue was impressed with Li Ji's bravery and made her the queen. From then on, there were no more monsters in Eastern Yue.

sān gù máo lú
3. 三顾茅庐

（明）罗贯中 《三国演义》

东汉末年，朝廷非常腐败，加上天灾不断，战乱不止，人们的生活十分痛苦。很多有志的人士都想平息这种混乱的局面，于是纷纷起兵，各立旗号。河北有个名叫刘备的人，和他的结拜兄弟关羽、张飞一起，很想成就一番大事业，听说有个诸葛亮先生，博学多才，善于用兵，就打听到他的住处，和关羽、张飞骑着马、带着礼物去拜见诸葛亮，想请诸葛亮帮助他。

关羽说："您何必亲自去呢，派人去把他叫

来不就行了？”刘备说：“求见有才能的人，一定要恭敬。我亲自去还怕人家不愿意见呢。”

于是，他们来到诸葛亮的家。一个童子开门出来，刘备讲明了来意，请求拜见诸葛亮。童子回答说：“先生一早就出门去了，不知道什么时候才能回来呢。”刘备听了，十分失望。张飞说：“既然不在，我们就回去吧。”可刘备不肯离开，站在那儿等了又等，直到关羽和张飞催促了好几次，才骑着马回去了。

刘备不断地让人打听诸葛亮什么时候回来。有一天，打听的人说诸葛亮回来了，

刘备马上又和关羽、张飞带着礼物出发
了。这时正是寒冬，大雪纷飞，张飞忍不
住埋怨起来。刘备说："越是这样，才越
能显出我们的诚意啊。"他们冒着大
雪，来到诸葛亮的家门前，下马敲门，还是
那个童子出来开门。刘备问："诸葛先生

zài jiā ma　　tóng zǐ shuō　　zhèng zài jiā li dú shū ne　　liú
在家吗？"童子说："正在家里读书呢。"刘

bèi gāo xìng jí le　　jìn qù yí kàn　　guǒ rán yǒu yí ge rén zhèng zài
备高兴极了，进去一看，果然有一个人正在

dú shū　　tā pà dǎ rǎo xiān sheng　　jiù jìng jìng de zhàn zài yì páng
读书。他怕打扰先生，就静静地站在一旁

děng zhe　　zhí dào nà ge rén kàn wán shū de shí hou　　cái zǒu shàng
等着，直到那个人看完书的时候，才走上

qián qù bài jiàn　　bú liào nà ge rén bú shì zhū gě liàng　　ér shì tā
前去拜见。不料那个人不是诸葛亮，而是他

de dì di　　liú bèi yòu shī wàng le　　tā gěi zhū gě liàng liú xià le
的弟弟。刘备又失望了，他给诸葛亮留下了

yì fēng xìn　　shuō míng zì jǐ xī wàng zhū gě liàng chū lái xiāng
一封信，说明自己希望诸葛亮出来相

zhù　　yì qǐ jiě jiù lǎo bǎi xìng tuō lí tòng kǔ de xīn qíng　　rán hòu
助，一起解救老百姓脱离痛苦的心情，然后

jiù huí qù le
就回去了。

liú bèi xīn li shí kè xiǎng zhe zhè jiàn shì　　zěn me yě fàng bú
刘备心里时刻想着这件事，怎么也放不

xià　　guò le yí zhèn zi　　tā dǎ ting dào zhū gě liàng yòu huí lái
下。过了一阵子，他打听到诸葛亮又回来

le　　jiù zài yí cì chū fā　　zhè cì tóng zǐ gào sù tā　　zhū gě
了，就再一次出发。这次童子告诉他，诸葛

liàng dí què zài jiā　　zhèng zài wǔ shuì　　liú bèi jiào tóng zǐ bú yào
亮的确在家，正在午睡。刘备叫童子不要

惊醒先生，就站在门外等着。张飞早不耐烦了，这时实在忍不住，就大声地说："这个诸葛亮，真是太高傲了，我去放一把火，看他还睡不睡！"刘备连忙制止住张飞。

就这样等了好半天，诸葛亮才睡醒。听说有人找他，就说："等一下，我去换换衣服。"又等了好半天，诸葛亮才出来和刘备相见。二人谈了一会儿，刘备说明了三次来拜访先生的经过。原来诸葛亮早就知道刘备要来，为了试试刘备访求人才的诚意，才故意几次不在家并做出高傲态度的。看到刘备这样诚恳恭敬，诸葛亮就

dā yìng bāng zhù liú bèi
答应帮助刘备。

tā tán qǐ dāng shí tiān xià de qíng
他谈起当时天下的情

kuàng bǎ jǐ shí nián lái de hùn luàn jú miàn shuō de qīng qīng chǔ
况，把几十年来的混乱局面说得清清楚

chǔ ér qiě hái fēn xī le jiě jué de bàn fǎ jí yǐ hòu jú shì de
楚，而且还分析了解决的办法及以后局势的

fā zhǎn hé biàn huà tán de rù qíng rù lǐ liú bèi yuè tīng yuè pèi
发展和变化，谈得入情入理。刘备越听越佩

fú lián guān yǔ hé zhāng fēi yě jué de zhū gě liàng què shí hěn liǎo
服，连关羽和张飞也觉得诸葛亮确实很了

bu qǐ
不起。

hòu lái liú bèi zài zhū gě liàng de fǔ zhù xià dǎ le hěn duō
后来，刘备在诸葛亮的辅助下，打了很多

shèng zhàng jiàn lì le sān guó zhī yī de shǔ guó
胜仗，建立了三国之一的蜀国。

Three Times Visiting the Thatched Cottage

(Ming Dynasty) Luo Guanzhong *Three Kingdoms*

During the end of the East Han period, the government was corrupt and the nation was in a state of chaos. A man named Liu Bei and his two sworn brothers, Guan and Zhang, vowed to bring peace to the country. He heard of a man named Zhuge Liang who was wise and familiar with military strategies. So Liu set out to find the man. The first time he went to Zhuge's home, he wasn't there. The second time he mistook Zhuge's brother for him, and he still wasn't home. The third time, Zhuge was home but asleep. Liu asked not to wake him. He waited several hours for Zhuge to get up. Zhuge wasn't really asleep, he just wanted to test Liu's sincerity. Seeing Liu was sincere, he decided to help him, and with Zhuge's assistance, Liu finally set up the kingdom of Shu.

4．空城计

kōng chéng jì

（明）罗贯中《三国演义》

míng luó guàn zhōng sān guó yǎn yì

诸葛亮是三国时蜀国的丞相，为了

zhū gě liàng shì sān guó shí shǔ guó de chéng xiàng wèi le

统一中原，他领兵攻打魏国。魏国的元

tǒng yī zhōng yuán tā lǐng bīng gōng dǎ wèi guó wèi guó de yuán

帅司马懿带领兵将来抵挡。诸葛亮来到了

shuài sī mǎ yì dài lǐng bīng jiàng lái dǐ dǎng zhū gě liàng lái dào le

一个叫西城的地方，他的一个大将因为不

yí ge jiào xī chéng de dì fang tā de yí ge dà jiàng yīn wèi bú

会用兵，丢掉了通往西城的一个重要

huì yòng bīng diū diào le tōng wǎng xī chéng de yí ge zhòng yào

关口，司马懿的十五万大军马上就要来

guān kǒu sī mǎ yì de shí wǔ wàn dà jūn mǎ shàng jiù yào lái

攻打西城了。这时，诸葛亮的兵马大都在

gōng dǎ xī chéng le zhè shí zhū gě liàng de bīng mǎ dà dōu zài

外作战，在西城的多是不会打仗的文

wài zuò zhàn zài xī chéng de duō shì bú huì dǎ zhàng de wén

官，还有两千五百士兵。许多人都又急又

guān hái yǒu liǎng qiān wǔ bǎi shì bīng xǔ duō rén dōu yòu jí yòu

怕，不知道怎么办才好。有的说快逃走吧，

pà bù zhī dào zěn me bàn cái hǎo yǒu de shuō kuài táo zǒu ba

可是已经来不及了；有的说应该关紧城
门，决一死战，可是用两千多人马去对抗
十五万大军又是完全不可能的。

诸葛亮想了一下，吩咐人们："不用
慌，我有一个退敌的好办法。把旗子刀枪
都收在城墙里面，各人都按我的布置守
好自己的位置，不许大声交谈；把四面的
城门都打开，每个城门派二十个士兵扮
做老百姓去打扫街道。"然后他让两个小
童替他拿着琴和香炉，来到城楼上坐
下。大家都不知道他要干什么，可这是军机
大事，不能多问，加上又没有什么别的
办法，只好按照吩咐一一准备去了。

zài shuō sī mǎ yì lǐng zhe dà duì rén mǎ lái dào chéng xià   zhǐ
再说 司马懿 领着大队人马来到 城 下，只

jiàn xī chéng sì mén dà kāi   kàn bú dào shén me shì bīng   zhǐ yǒu
见 西 城 四 门 大开，看不到什么士兵，只有

yì xiē lǎo bǎi xìng zài dǎ sǎo jiē dào   chéng qiáng shang yě méi yǒu
一些老百姓在打扫街道，城 墙 上 也没有

jūn duì   zhǐ yǒu zhū gě liàng zài rán zhe xiāng tán zhe qín   shēn hòu
军队，只有诸葛亮在燃着香弹着琴，身后

zhàn zhe liǎng ge xiǎo tóng   sī mǎ yì xiǎng   zhū gě liàng yòng bīng
站着两个小童。司马懿想：诸葛亮用兵

xiàng lái dōu hěn xiǎo xīn   jīn tiān wèi shén me zhè yàng dà dǎn
向来都很小心，今天为什么这样大胆

ne   yí dìng shì chéng li yǒu mái fú ba   tā yòu xì xīn de tīng le
呢？一定是 城 里有埋伏吧。他又细心地听了

听诸葛亮的琴声，觉得琴声里有一股杀气，好像诸葛亮已经胸有成竹，就等着司马懿的军队进城了。司马懿越听越害怕，越想越觉得可疑，就命令军队撤到离城比较远的地方，想看看情况再说。

就在司马懿的军队撤退的时候，诸葛亮却率领士兵从城里撤退到了安全的地方。大家这才问丞相是怎么知道司马懿不会进城呢？诸葛亮回答："司马懿这个人生性多疑，他今天见我不按常规作战，心里一定没有把握，所以宁可小心一点儿。我很了解他，知道我这个空城计是没有问题的。"

hòu lái sī mǎ yì zhī dào le xī chéng yuán lái shì yí zuò kōng
后来司马懿知道了西城 原来是一座空

chéng bù jīn gǎn tàn shuō zhū gě liàng yǒu dǎn yǒu móu
城，不禁感叹说："诸葛亮有胆有谋，

zhēn shì yí ge yòng bīng de qí cái a
真是一个用兵的奇才啊！"

The Empty City Trick

Luo Guanzhong *Three Kingdoms*

Zhuge Liang was the Prime Minister of Shu during the Three Kingdoms period. During one of the wars with Wei, one of the marshals miscalculated, leading an army led by Sima to attack the West City. There were only a few Shu soldiers in the city. There wasn't enough time to flee the city, people were very afraid. After thinking for a while, Zhuge had an idea. He ordered people to open all the city gates, and had some civilians sweep the floor. Then he got a zither and played it on the gate tower. When Sima's army arrived, he became suspicious, and reasoned that since Zhuge was a calculating person, he must have laid an ambush. Also the tune Zhuge was playing sounded confident, as if he was waiting for Sima's army. Fear grew in Sima and he ordered his soldiers to back off. Zhuge knew Sima was quite paranoid. Seeing the unusual circumstances, Sima would surely be cautious, so this empty city trick worked.

5. 武松打虎
wǔ sōng dǎ hǔ

（明）施耐庵 罗贯中《水浒传》

武松是一位梁山的好汉，有一次从别的地方回家，路上经过一座大山，山下有个酒店。他走得又累又渴，就进去买酒喝。他一气喝了三碗，又喊店家添酒，店家却不肯添。

武松问："为什么？"店家说："这种酒叫做'三碗不过冈'，意思是说，人喝了三碗之后就会醉倒的。"武松听了哈哈大笑，说："我喝酒是海量，从来没醉过。"

店家又说："前面的山叫景阳冈，冈

上最近出了只老虎，已经有几个人被它吃掉了，你酒喝多了可不能过去了。"武松不信，只管要酒，一共喝了十八碗，也不听店家的劝，提着一根棍子就上山去了。

来到山脚下，他看见了县府的告示，才知道真的有虎。他想：我有棍子，怕什么虎！就继续往前走。这时，太阳已经落山了，武松才觉得浑身热起来，头也有些晕了，原来他的酒喝得太多了。他看见有一块大石头，正好可以躺下休息，就把棍子放在一边，躺上去睡着了。

忽然，刮起一阵大风，把武松惊醒了，风刚过，一只大老虎从树林里扑了过来。

wǔ sōng　ā yā　yì shēng　cóng dà shí tou shang tiào xià lái
武松"啊呀"一声，从大石头上跳下来，

zhè yí xià bǎ tā de jiǔ yě xià xǐng le　zhǐ jiàn lǎo hǔ xiàng tā pū
这一下把他的酒也吓醒了。只见老虎向他扑

guò lái　tā yì shǎn　jiù shǎn dào le lǎo hǔ de bèi hòu
过来，他一闪，就闪到了老虎的背后。

lǎo hǔ pū le yí ge kōng　jiù bǎ yāo yì xiān　wǔ sōng yòu
老虎扑了一个空，就把腰一掀，武松又

yì shǎn　duǒ le guò qù　lǎo hǔ lián pū liǎng xià dōu méi pū
一闪，躲了过去。老虎连扑两下都没扑

zháo　qì de dà hǒu le yì shēng　shēng yīn xiàng dǎ léi　tóng shí
着，气得大吼了一声，声音像打雷，同时

yòu bǎ tiě bàng shì de wěi ba shù qǐ lái xiàng wǔ sōng yì sǎo　wǔ
又把铁棒似的尾巴竖起来向武松一扫。武

sōng zài yì shǎn　yòu duǒ kāi le
松再一闪，又躲开了。

chèn zhe lǎo hǔ hái méi zhuǎn guò shēn lái　wǔ sōng lián máng
趁着老虎还没转过身来，武松连忙

zhuā qǐ gùn zi　yòng le quán shēn de lì qi　cóng bàn kōng dǎ
抓起棍子，用了全身的力气，从半空打

xià qù　méi xiǎng dào dǎ de tài jí le　yí xià zi dǎ zài yì kē
下去。没想到打得太急了，一下子打在一棵

shù shang　bǎ gùn zi dǎ chéng le liǎng jié　zhè shí　lǎo hǔ zhuǎn
树上，把棍子打成了两截。这时，老虎转

guò shēn　yòu xiàng wǔ sōng pū guò lái　wǔ sōng wǎng hòu yí
过身，又向武松扑过来，武松往后一

tiào　　lǎo hǔ zhèng hǎo pū zài wǔ sōng de yǎn qián　　wǔ sōng jí
跳，老虎正好扑在武松的眼前。武松急

máng diū kāi gùn zi　　tiào shàng qián qù　　zhuā zhù lǎo hǔ de tóu
忙丢开棍子，跳上前去，抓住老虎的头

dǐng　　yòng jìn suǒ yǒu de lì qi wǎng xià àn
顶，用尽所有的力气往下按。

lǎo hǔ bèi wǔ sōng jǐn jǐn de àn zhù　　zhēng zhá bù qǐ lái
老虎被武松紧紧地按住，挣扎不起来，

jiù yòng liǎng zhī zhuǎ zi luàn zhuā　　zhuā zhe zhuā zhe bǎ dì páo
就用两只爪子乱抓，抓着抓着把地刨

chéng le yí ge kēng　　wǔ sōng zhǐ shì jǐn jǐn de àn zhù tā　　tóng
成了一个坑。武松只是紧紧地按住它，同

shí tái qǐ jiǎo wǎng lǎo hǔ de tóu shang luàn tī　　lǎo hǔ jiàn jiàn méi
时抬起脚往老虎的头上乱踢。老虎渐渐没

有力气了，武松就抽出右手，抡起铁锤一

般的拳头，照着老虎的头使劲儿地打。打了

几十下，老虎就一点儿也不动了。

武松独自一人赤手空拳打死老虎的事

情很快就传开了，大家都争先恐后地来

看打虎的英雄。县府的官员要给他赏

赐，他把那些钱都分给了连日在山上辛苦

打虎的猎户们。从此，他更受大家的敬

重了。

Wu Song Killing the Tiger

(Ming Dynasty)Shi Nai'an, Luo Guanzhong *Water Margin*

Wu Song was a hero from Mt. Liang. Once he stopped at a bar before a mountain he planned to cross. After three bowls of wine, the owner refused to pour him more wine, for there was a tiger on the mountain, if Wu became drunk he couldn't cross the mountain. Wu didn't believe there was a tiger, and drank altogether eighteen bowls of wine. When Wu got on the mountain, he saw the official government warning of the tiger. He thought to himself he's got a stick as a weapon, there's no need to be afraid. Suddenly wind started to blow and a huge tiger jumped out from the woods. Wu jumped behind the tiger and kept ducking the tiger's leaps. The tiger became tired. Wu saw a chance to hit the tiger, but the stick hit a branch, and broke in half. The tiger leapt for Wu again; Wu stood in front of the tiger and pressed its head down, hitting it repeatedly, at the same time kicking the tiger's head. After some time, the tiger could no longer move. When the local officials found out Wu had eliminated the local pest, they awarded him, but Wu gave the money to the local hunters who had attempted to kill the tiger for days.

6. 拳打镇关西

（明）施耐庵 罗贯中《水浒传》

　　鲁达是宋代的一个军官，也是梁山的一位好汉，平时最好打抱不平，解人危难。有一天，他和几个朋友在一个酒楼上喝酒，听见隔壁有人不停地哭。鲁达觉得非常烦躁，就让人把哭的人叫来，想问问是怎么回事。

　　来的人是父女两个，那个女子见鲁达问他们，就一边哭，一边说："我们一家是从外地来这里投亲的，没想到亲戚搬到别处去了，我的母亲又偏巧生了病，我们只好住

进了一个客店里。因为缺钱，没法医治，母亲
的病越来越重，最后终于死了。我们又
要料理母亲的后事，又得付钱给客店，实在
是拿不出足够的钱。这时有一个叫镇关西
的人来对我们说，如果我愿意到他家去伺
候他，他可以借给我们钱。我们父女没有别
的办法，就答应了。我到了他家以后，吃了很
多苦，女主人又不喜欢我，把我打了出来。
谁知镇关西又让人来对我们说，既然不
愿意留在他家，那么就还借他的钱吧。可是
当初他几乎没给我们钱，现在我们拿什
么来还他呀！他还规定了还钱的期限，说
到时还不出就让我们进监狱。我只好到酒

楼来给客人唱歌赚点儿钱。今天客人少，没挣到多少钱。眼看期限就要到了，我们父女发愁也没有用，所以急得哭起来，没想到打扰了您，真抱歉。"

鲁达听完女子的话，气得头发都要立起来了。他问："是谁敢这么欺负人！那个镇关西是什么人？"女子说："就是离这儿不远的那家肉铺的郑屠户。"鲁达一听，更生气了，他不顾朋友的劝说，先拿了一些钱来，让那父女二人回家乡去，说还钱的事由他来解决。然后辞别了朋友，就到郑屠户那里去了。

来到肉铺，他大声地叫出郑屠户，说：

"我要买肉！十斤瘦的，不能带一点儿肥的，要细细地切成末。"郑屠户见是鲁达来了，不敢怠慢，急忙亲自选肉切肉。切了半天才切好，刚要给鲁达，鲁达又说："再要十斤肥的，不能带一点儿瘦的，也要细细地切成末。"郑屠户觉得奇怪，问："这是干什么用的呀？"鲁达瞪着眼说："你只管卖货赚钱，问那么多干什么！"郑屠户只好又去切了半天。好不容易切完了，只听鲁达又说："再要十斤软骨，不能带一点儿肉，也要细细地切成末。"

郑屠户忙了半天，本来就很烦躁了，一听这话，就更急了，说："你是来买肉的还

shì lái zhuō nòng wǒ de　　　lǔ dá yì tīng　　jiù dà shēng de jiào
是来捉弄我的?"鲁达一听,就大声地叫

dào　　nǐ qiē yì diǎnr　ròu jiù shòu bù liǎo le　　nà nǐ zěn me
道:"你切一点儿肉就受不了了,那你怎么

qī fu rén jia nà fù nǚ èr rén de　jīn tiān wǒ jiù shì tè dì lái
欺负人家那父女二人的?今天我就是特地来

jiào xùn nǐ de　　zhèng tú hù tīng le　qì de ná qǐ yì bǎ dāo
教训你的!"郑屠户听了,气得拿起一把刀

lái　shuō　　wǒ de shì bú yòng nǐ guǎn　　shuō zhe　jiù yào
来,说:"我的事不用你管!"说着,就要

ná dāo lái kǎn lǔ dá　xiǎng bǎ lǔ dá xià zǒu　lǔ dá mǐn jié de
拿刀来砍鲁达,想把鲁达吓走。鲁达敏捷地

duǒ kāi dāo　yì bǎ zhuā zhù zhèng tú hù　jǔ qǐ dà quán tou jiù
躲开刀,一把抓住郑屠户,举起大拳头就

打。郑屠户挨了一下打，害怕起来，就向鲁达求饶。鲁达更生气了，他一边打一边骂道："你这个欺软怕硬的家伙！不好好儿做生意，却净想着靠欺负人赚钱。今天我偏不饶你！"他只顾解气，没想到郑屠户不禁打，刚打了三拳就死了。

鲁达为那父女二人出气打死了镇关西，后来为了躲避官府的捉拿，上五台山做和尚去了。

Beating Zheng Guanxi with Fists

(Ming Dynasty) Shi Nai'an, Luo Guanzhong *Water Margin*

Lu Da was an officer during the Song dynasty, he was always ready to defend the weak and helpless. One day he was having a drink with some friends in a bar, when he heard people crying next door. He found it annoying, so he asked to have the people crying come over. It was a father and a daughter who came to visit some friends, the mother had been sick and died because of shortage of money. They couldn't afford a funeral. A man named Zheng Guanxi offered to lend them money, but he asked them to pay the money back before he had lent them the money, otherwise he'd go to the officials and have the father and daughter put into jail. Out of fear the father and daughter worked at the bar, but the deadline was up and they still didn't have enough money. When Lu heard of their story he was so mad his hair stood up. He asked who this Zheng was, and was informed Zheng was a butcher on the same street. He gave the father and daughter some money, so they could return home. He went to find Zheng. He pretended to buy meat, and gave the butcher a hard time. After a while, Zheng couldn't take it anymore and lost his temper. Lu took the chance to beat the man with his fists. After three punches, the butcher was dead. Lu killed Zheng, and to escape the government officials, he went up Mt. Wutai and became a monk.

7. 大闹天宫

dà nào tiān gōng

（明）吴承恩《西游记》

在茫茫的东洋大海中，有一座花果山。山中有很多飞禽走兽、奇花异草，四季鲜果不断。在山顶上有一块仙石，吸收了天地的精华，化成了一个猴子。他身手敏捷，在山中一个瀑布下面找到了一个水帘洞，带着一群猴子住在那里，被大家尊为美猴王。为了学会高超的法术，他独自飘过无边无际的东海，拜了一位仙师，师父给他起了一个名字叫孙悟空。他学会了七十二般变化，还能一个跟头就翻出十万

bā qiān lǐ yuǎn
八 千 里 远 。

huí dào huā guǒ shān hòu　　sūn wù kōng měi tiān jiù hé dà xiǎo
回 到 花 果 山 后 ， 孙 悟 空 每 天 就 和 大 小

hóu zi yì qǐ kuài lè de shēng huó　　tā hái jiāo tā men cāo liàn wǔ
猴 子 一 起 快 乐 地 生 活 ，他 还 教 他 们 操 练 武

yì　　yīn wèi quē shǎo shì hé zì jǐ de bīng qì　　tā jiù lái dào dōng
艺 。 因 为 缺 少 适 合 自 己 的 兵 器 ，他 就 来 到 东

hǎi lóng gōng　　xiàng lóng wáng jiè bīng qì　　lián shì le jǐ zhǒng
海 龙 宫 ， 向 龙 王 借 兵 器 。 连 试 了 几 种 ，

tā dōu xián qīng　　yú shì lóng wáng shuō　　dōng hǎi li yǒu yì gēn
他 都 嫌 轻 。于 是 龙 王 说 ：“东 海 里 有 一 根

dìng hǎi shén zhēn　　zhòng yí wàn sān qiān wǔ bǎi jīn　　rú guǒ nǐ
定 海 神 针 ， 重 一 万 三 千 五 百 斤 ， 如 果 你

néng ná dòng　　jiù sòng gěi nǐ　　méi xiǎng dào sūn wù kōng zhēn
能 拿 动 ，就 送 给 你 。”没 想 到 孙 悟 空 真

de bǎ nà gēn shén zhēn ná le qǐ lái　　jiǎo de zhěng gè dà hǎi dōu
的 把 那 根 神 针 拿 了 起 来 ， 搅 得 整 个 大 海 都

huàng dòng qǐ lái le　　zhè gēn shén zhēn shàng mian xiě zhe　　rú
晃 动 起 来 了 。 这 根 神 针 上 面 写 着 “如

yì jīn gū bàng　　sūn wù kōng shí fēn xǐ huan tā　　lóng wáng zhè
意 金 箍 棒 ”，孙 悟 空 十 分 喜 欢 它 。龙 王 这

shí xiǎng fǎn huǐ yě lái bu jí le　　zhǐ hǎo xiàng tiān shang de yù dì
时 想 反 悔 也 来 不 及 了 ，只 好 向 天 上 的 玉 帝

qǐng qiú chéng fá sūn wù kōng
请 求 惩 罚 孙 悟 空 。

玉帝正在为龙王的请求犹豫呢，又听说孙悟空去了阴曹地府，把生死簿上所有的猴子都注销了名字，这样所有的猴子都可以长生不死了。这下玉帝可生气了，想出兵把孙悟空抓来治罪。有个太白金星说，孙悟空本领太大，出兵不一定能取胜，他有一个更好的办法。于是他来到花果山见孙悟空，说玉帝听说他本事很大，请他上天做官。孙悟空听了很高兴，就跟金星来到天宫，做了一个"弼马温"。过了不久，他听人说"弼马温"只是一个管马的，根本不是什么官。原来这是金星想的办法，他想这样把孙悟空困在

tiān gōng   miǎn dé tā zài rě shì   sūn wù kōng yì qì zhī xià jiù
天宫，免得他再惹事。孙悟空一气之下就

dǎ chū le nán tiān mén   huí huā guǒ shān qù le
打出了南天门，回花果山去了。

yù dì pài bīng lái dǎ sūn wù kōng   fǎn ér bèi tā dǎ bài le
玉帝派兵来打孙悟空，反而被他打败了。

sūn wù kōng hái gěi zì jǐ fēng le yí ge   qí tiān dà shèng   de
孙悟空还给自己封了一个"齐天大圣"的

chēng hào   yào hé yù dì píng qǐ píng zuò ne   yù dì zhèng bù zhī
称号，要和玉帝平起平坐呢。玉帝正不知

zěn me bàn hǎo   jīn xīng yòu chū le yí ge zhǔ yi   bù rú xiān jiǎ
怎么办好，金星又出了一个主意：不如先假

zhuāng dā ying tā   bǎ tā piàn dào tiān shang   yǐ hòu zài zhǎo jī
装答应他，把他骗到天上，以后再找机

会问他的罪。于是孙悟空又第二次来到天宫，管理王母的蟠桃园。

谁知孙悟空最爱吃桃，他经常偷吃蟠桃园中九千年才结果、能让人长生成仙的桃子。他听说王母举办的蟠桃盛会没有请他，才知道玉帝并没有把他放在眼里，他一生气，就来到蟠桃会上，趁大家还都没有到，把仙酒美食吃了个够。因为喝醉了酒，在回桃园的路上，误入太上老君的洞府，又趁老君在给徒弟们讲道，把他们给玉帝炼的金丹都吃了。

玉帝听说了孙悟空做的这些事后，可气坏了，派出了十万天兵天将来捉拿孙悟

kōng　kě shì dōu bèi tā dǎ bài le　　yù dì zhèng zài wú kě nài hé
空 ，可是 都 被 他 打 败 了。玉帝 正 在 无 可 奈 何

de shí hou　xī tiān de rú lái fó zǔ tīng shuō le zhè jiàn shì　gǎn
的 时 候，西 天 的 如 来 佛 祖 听 说 了 这 件 事，赶

lái bāng máng　　tā bǎ sūn wù kōng yā zài wǔ zhǐ shān xià　shuō tā
来 帮 忙，他 把 孙 悟 空 压 在 五 指 山 下，说 他

wǔ bǎi nián hòu cái néng chū lái　　hòu lái　táng sēng qǔ jīng lù guò
五 百 年 后 才 能 出 来。后 来，唐 僧 取 经 路 过

zhè li　　bǎ sūn wù kōng cóng wǔ zhǐ shān xià fàng le chū lái　sūn
这 里，把 孙 悟 空 从 五 指 山 下 放 了 出 来，孙

wù kōng jiù bǎo hù zhe táng sēng dào xī tiān qù qǔ zhēn jīng
悟 空 就 保 护 着 唐 僧 到 西 天 去 取 真 经。

Devastating the Heavenly Palace

Wu Cheng'en *Journey to the West*

Monkey who had learned seventy-two transformations returned to his home, Mountain Flowers-and-fruits. He became obnoxious and started causing trouble. Monkey needed a weapon, so he borrowed the Jingu stick from the dragon king of the East Sea, however the dragon king later regretted lending Monkey the stick, so he asked the heavenly emperor to punish Monkey. Also Monkey went to the nether world, and took all the names of his monkey friends off the death list, so they became immortals. The heavenly emperor wanted to keep Monkey in the heavenly palace so that he could keep an eye on him. He tricked Monkey by assigning him a post in the palace, but soon Monkey decided his post as the stable-boy was an insult to him, and went back home. The heavenly emperor sent his troops to capture Monkey, but Monkey defeated them. Monkey wanted to have the same power as the heavenly emperor. In order to trick him back into the heavenly palace, the heavenly emperor agreed. Once Monkey discovered he wasn't invited to the heavenly empress's feast, he got angry and arrived before the guests and ate all the food. The heavenly emperor couldn't do anything. Luckily, Tathagata came to help. He placed Monkey under Mt. Wuzhi for five hundred years, until Triptika saved him. From then on Monkey protected Triptika on his pilgrimage to the west.

8. 高老庄

（明）吴承恩《西游记》

唐僧在去西天取经的路上，收了孙悟空当徒弟。一路上，孙悟空降妖捉怪，保护着唐僧。

这一天，他们来到了一个村庄。刚到路口，就看见村里急急忙忙地走出来一个人。孙悟空就走上前去，想问问这是什么地方，他们想找一个地方过夜。谁知道这个人很不耐烦，说："你们问别人去吧，我还急着找法师来捉妖怪呢！"

孙悟空一听有妖怪，顿时来了兴致，就

抓住那个人不放，一定要他说说是怎么回事。那个人挣脱不开，没有办法，只好说："我们这个村子叫高老庄，我的主人就是高老太爷。他们夫妇只有一个女儿，所以非常疼爱，一定要找一个合适的人才出嫁。前一段时间来了一个人，向高老太爷求婚，他说自己只有孤身一人，愿意到高家做女婿。高老太爷见他长得非常健壮，就留他在家里住了一段时间。这个人在我们家里一个人能做几个人的活儿，太爷夫妇很高兴，就把小姐嫁给了他。谁知道办喜事那天，姑爷喝醉了酒，结果耳朵变大了，嘴巴也变长了，怎么看都像个猪。小姐害怕，告诉了太爷。太爷说遇到了妖怪，想退了亲事。可是那个妖怪把小姐锁在一个楼上，说让她好好儿想一想，而且隔几天就来催问小姐想好了没有。可怜的小姐只能天天哭，急得太爷让我们四处去找能降妖的人来救小姐呢。"

孙悟空说："我师父就是法师，最会降妖了，你带我们去见见你们太爷吧。"那个人一听，非常高兴，就带着唐僧师徒来见主人。唐僧悄悄对孙悟空说："我哪儿会降什么妖啊？"孙悟空说："到时候您只管陪着高老夫妇坐坐就行了，其他的事由我来办。"

高老夫妇热情地款待唐僧他们。到了晚上，高老太爷说："那个妖怪又该来了。"孙悟空打开小姐的门，让小姐到父母的房间去，然后自己变成了小姐的模样，坐在房里等着那个妖怪。

过了一会儿，那个妖怪果然来了。他来到房里，假小姐说："咱们夫妻可做不长了，我父亲已经请了法师来捉你呢。"那个妖怪说："我是什么人？我才不怕什么法师呢。"假小姐趁机问他的家世，打听到原来这个妖怪是天上的将军，因为做错了事被罚到人间来的，他正等着去取经的唐僧，好做他的徒弟，保护他到西天。

sūn wù kōng tīng le zhè huà fēi cháng gāo xìng jiù yòu biàn
孙悟空听了这话，非常高兴，就又变

huí yuán lái de yàng zi dài zhe tā lái jiàn shī fu táng sēng tīng
回原来的样子，带着他来见师父。唐僧听

shuō le shì qing de jīng guò yě hěn gāo xìng jiù gěi xīn tú dì qǔ
说了事情的经过，也很高兴，就给新徒弟取

míng jiào zhū bā jiè bìng ràng tā gěi gāo lǎo fū fù hé xiǎo jiě péi
名叫猪八戒，并让他给高老夫妇和小姐赔

lǐ ràng gāo lǎo fū fù chóng xīn gěi xiǎo jiě xuǎn nǚ xu gāo lǎo
礼，让高老夫妇重新给小姐选女婿。高老

fū fù jiàn nǚ ér de shì qing jiě jué le hěn shì gāo xìng shèng
夫妇见女儿的事情解决了，很是高兴，盛

qíng de zhāo dài le táng sēng shī tú jǐ tiān　rán hòu sòng tā men
情 地 招 待 了 唐 僧 师 徒 几 天 ， 然 后 送 他 们

shàng lù　　lín zǒu de shí hou　zhū bā jiè hái zhēn duì xiǎo jiě liàn
上 路 。 临 走 的 时 候 ， 猪 八 戒 还 真 对 小 姐 恋

liàn bù shě ne
恋 不 舍 呢 。

The Gao Village

Wu Cheng'en *Journey to the West*

On Triptika's way to the west, he found and kept Monkey as his disciple. One day, the two of them arrived at a village. A person walked hurriedly past them and claimed he was looking for someone to capture a monster. His master had kept a young man at his home to be his future son-in-law. But once the future son-in-law got drunk and transformed into a pig. The daughter became afraid and refused to marry him. The monster locked the daughter in the attic and wouldn't let her out until she agreed to marry him. Monkey said he could do the job, so the servant took him back to meet his master. That night Monkey transformed himself into the disguise of the daughter, and asked the monster about his past. The monster revealed that he was once a marshal from the heavens, but he was banished for his mistakes. He was currently waiting for Triptika to go past, so that he could become his disciple and protect him on his pilgrimage to the west. Monkey was glad to hear this, and revealed himself. Triptika and his two disciples went on their way to the west.

zhū bā jiè xiāng qīn
9.猪八戒相亲

míng wú chéng ēn xī yóu jì
（明）吴承恩《西游记》

táng sēng dài zhe sān ge tú dì　sūn wù kōng　zhū bā jiè hé
唐僧带着三个徒弟（孙悟空、猪八戒和

shā hé shang　dào xī tiān qù qǔ jīng　yǒu yì tiān wǎn shang　tā
沙和尚）到西天去取经。有一天晚上，他

men xiǎng zhǎo ge dì fang tóu sù　jiàn lù páng yǒu yí ge dà
们想找个地方投宿，见路旁有一个大

zhuāng yuán　jiù shàng qián qù jiào mén
庄园，就上前去叫门。

jiē dài tā men de shì yí ge　zhōng nián fù nǚ　zhè ge fù nǚ
接待他们的是一个中年妇女。这个妇女

dài tā men fēi cháng rè qíng　yì biān gěi tā men shī tú jìng chá
待他们非常热情，一边给他们师徒敬茶

jìng guǒ　yì biān shuō　　ài　nǐ men zhī dào ma　wǒ zhè ge
敬果，一边说："唉，你们知道吗？我这个

zhuāng yuán zài fù jìn shì zuì dà de le　jiā li de jīn yín cái bǎo
庄园在附近是最大的了，家里的金银财宝

yí bèi zi yě yòng bù wán　kě shì bú xìng de hěn　wǒ de zhàng
一辈子也用不完。可是不幸得很，我的丈

fu qián nián qù shì le　wǒ men fū qī liǎ dōu méi yǒu shén me qīn
夫前年去世了。我们夫妻俩都没有什么亲

戚，也没有儿子，只有三个女儿，长得如花

似玉，正好到了出嫁的年龄。现在就只有

我们母女四人守着这么大的一个庄园

了，我看你们师徒正好也是四个人，不如就

留在我们家成亲算了，从此不愁吃穿，

总比到西天取经一路辛苦好多了。"

唐僧听了，本来想断然拒绝，可是觉得

那个妇女是一片真心，不好正面拒绝，于

是就假装听不见，闭着眼睛念起经来。孙

悟空和沙和尚一心要到西天求取真经，

也很坚定地不回答那个妇女的话。只有猪八

戒听到那三个女儿长得很漂亮，又有那

么多好东西可以享用，早就坐不住了，真

xiǎng mǎ shàng jiù dā ying zài zhè li zuò nǚ xu kě shì tā kàn shī
想马上就答应在这里做女婿。可是他看师

fu yì diǎnr tóng yì de yì si yě méi yǒu zhēn shì jí huài
父一点儿同意的意思也没有，真是急坏

le nà ge fù nǚ shuō le bàn tiān jiàn táng sēng bù dā ying yì
了。那个妇女说了半天，见唐僧不答应，一

shēng qì jiù zhàn qǐ lái zǒu le
生气就站起来走了。

zhū bā jiè yí kàn lián máng yě zhàn qǐ lái shuō shī
猪八戒一看，连忙也站起来说："师

fu wǒ qù wèi mǎ jiù pǎo chū qù zhuī shàng nà ge fù nǚ
父，我去喂马。"就跑出去追上那个妇女，

shuō mā ma wǒ shī fu zhēn shì ge shǎ guā yǒu zhè me hǎo
说："妈妈，我师父真是个傻瓜，有这么好

de fú dōu bú huì xiǎng shòu tā bù dā ying wǒ dā ying wǒ suī
的福都不会享受。他不答应，我答应。我虽

rán zhǎng de bù hǎo kàn kě shì wǒ lì qi dà néng gàn huór
然长得不好看，可是我力气大，能干活儿，

jiù ràng wǒ zuò nǐ de nǚ xu ba nà ge fù nǚ yì tīng hěn
就让我做你的女婿吧。"那个妇女一听，很

gāo xìng tā shuō hǎo shì hǎo kě shì wǒ yǒu sān ge nǚ ér
高兴，她说："好是好，可是我有三个女儿，

ràng nǎ yí ge jià gěi nǐ wǒ dōu pà lìng wài liǎng ge bù gāo xìng
让哪一个嫁给你我都怕另外两个不高兴

ya zhū bā jiè shuō nà hǎo bàn nǐ bǎ sān ge nǚ ér dōu
呀。"猪八戒说："那好办，你把三个女儿都

给我不就行了吗？"那个妇女听了，说："那
怎么可以！这样吧，等会儿我把三个女儿都
叫出来，让她们从你面前走过。你用头
巾把眼睛遮起来，抓到哪个，我就把哪个女
儿嫁给你。"猪八戒一听，高兴极了，也不管
师父他们，就跟着那个妇女走了。

他们来到一个房间，那个妇女把三个女
儿叫了出来。猪八戒一看，果然个个都长
得非常漂亮，心里很着急，恨不得马上
就成亲。他用头巾遮住了眼睛，想把那三
个女儿都抓住。可是奇怪，明明听到这个
地方有人，一抓就抓空了；听到那个地方
有人，一扑却撞到了一根柱子上。就这

yàng　zhū bā jiè zài fáng zi li zhuàng de bí qīng liǎn zhǒng lèi
样，猪八戒在房子里撞得鼻青脸肿，累

de mǎn tóu shì hàn　zhuā le bàn tiān　yí ge yě méi zhuā zháo
得满头是汗，抓了半天，一个也没抓着。

nà ge fù nǚ kàn zhū bā jiè shí zài méi bàn fǎ le　yòu xiǎng le
那个妇女看猪八戒实在没办法了，又想了

yí ge zhǔ yi　tā ràng sān ge nǚ ér bǎ tā men zhī de zhēn zhū
一个主意。她让三个女儿把她们织的珍珠

bèi xīn ná lái　shuō zhū bā jiè chuān nǎ jiàn hé shì　jiù ràng nǎ
背心拿来，说猪八戒穿哪件合适，就让哪

ge nǚ ér hé tā chéng qīn
个女儿和他成亲。

唐僧见猪八戒出去了没回来，非常着急，孙悟空好不容易才劝他躺下休息。

第二天他们起床时，发现房子不见了，他们正睡在一个树林里。他们正在纳闷，忽然听到有人喊"救命"。唐僧他们顺着声音一看，原来是猪八戒被紧紧地绑着吊在一棵树上。他们连忙走过去把猪八戒放下来，仔细一问才知道：那个妇女和三个女儿原来是天上的黎山老母、观音菩萨、普贤菩萨和文殊菩萨变的，她们这样做的目的是想试探唐僧师徒取经是不是诚心。猪八戒因为贪图享受，怕吃苦，结果被珍珠背心变的绳索吊了一夜。孙悟空笑着说："师父还替你担心呢，我说不用，你这一夜肯定过得很舒服，做了不少好梦吧。"

Piggy Choosing a Wife

Wu Cheng'en *Journey to the West*

Triptika and his three disciples were on their pilgrimage to the west. One night, they arrived at a large manor. The hostess took great care of them during their stay, and also showed them her three beautiful daughters who still had no suitors. She asked them to stay at the manor and live in prosperity, instead of going through all the hardships of travelling to the west. Triptika didn't want to hurt the hostess's feelings, so he pretended to meditate and not to have heard her. Monkey and Sandy had their minds set on protecting their master, so they were unmoved. Piggy however thought of all the luxuries of the manor, and of the beautiful daughters, so he told the hostess that he'd like to stay. The woman was pleased. She didn't know which daughter he should marry, but soon she had an idea of putting a blindfold on Piggy. Whomever he caught he could marry. So Piggy went around the room trying to catch a girl, but he kept bumping into poles and walls, and ended up with all bruises but not one girl. The next morning Triptika, Monkey and Sandy found Piggy in a net hanging from the tree. The hostess and her three daughters were actually gods. They came down from the heavens to test Triptika and his disciples' sincerity in attaining the scriptures.

10. 三打白骨精
sān dǎ bái gǔ jīng

（明）吴承恩《西游记》
míng wú chéng ēn xī yóu jì

大闹天宫的齐天大圣孙悟空，法力高
dà nào tiān gōng de qí tiān dà shèng sūn wù kōng fǎ lì gāo

强，会七十二般变化，一双火眼金睛能
qiáng huì qī shí èr bān biàn huà yì shuāng huǒ yǎn jīn jīng néng

识破各种妖魔鬼怪。他和师弟猪八戒、沙和
shí pò gè zhǒng yāo mó guǐ guài tā hé shī dì zhū bā jiè shā hé

尚一起，保护着师父唐僧去西天取经，一
shang yì qǐ bǎo hù zhe shī fu táng sēng qù xī tiān qǔ jīng yí

路上经历过不少艰险。
lù shang jīng lì guò bù shǎo jiān xiǎn

这一天，他们来到一座山前。这座山
zhè yì tiān tā men lái dào yí zuò shān qián zhè zuò shān

里有一个妖怪，她是由一堆白骨修炼成
li yǒu yí ge yāo guài tā shì yóu yì duī bái gǔ xiū liàn chéng

的，善于变化，诡计多端。她听说吃了唐
de shàn yú biàn huà guǐ jì duō duān tā tīng shuō chī le táng

僧的肉可以长生不老，立刻成仙，就打
sēng de ròu kě yǐ cháng shēng bù lǎo lì kè chéng xiān jiù dǎ

算把唐僧抓来。但是她知道孙悟空非
suàn bǎ táng sēng zhuā lái dàn shì tā zhī dào sūn wù kōng fēi

常厉害，为了让唐僧把孙悟空赶走，妖
怪就摇身变成了一个美丽的女子，手里
提着一篮馒头，说是给唐僧他们吃的。

孙悟空的火眼金睛一下就看出那个女子
是白骨精变的，于是举起金箍棒一下子就把
那个女子打死了。可被打死的只是白骨精的化
身，她的真身却化成一股烟逃跑了。唐
僧果然上了白骨精的当，他说："我们
出家人怎么能杀人呢？"孙悟空说那是妖
怪，不是人。唐僧一点儿也不信，还说："就
算是妖怪，也要感化它做个好人，不能杀
它。"

为了继续欺骗唐僧，白骨精又变成了

一个老太太来向唐僧要女儿，这一次又被孙悟空识破后把化身打死了。唐僧很生气，他不听孙悟空的解释，要把他赶回家去。幸亏猪八戒和沙和尚替孙悟空求情，说他一路上降妖除怪，从没有错杀过人。唐僧就答应再原谅孙悟空一次，如果再次杀人，一定不能饶恕。

白骨精一心想吃唐僧肉，当然不肯就此罢休，又变做一个老头儿哭着向唐僧要老伴儿和女儿。孙悟空见白骨精几次三番变花样骗人，早就气坏了。他不顾唐僧的拦阻，高举金箍棒把老头儿打成了肉泥。这下唐僧可不饶孙悟空了，不管孙悟空怎么

shuō　　zhū bā jiè hé shā hé shang zěn me qiú qíng　　hái shi bǎ sūn
说 ，猪 八 戒 和 沙 和 尚 怎 么 求 情 ，还 是 把 孙

wù kōng gǎn huí le jiā
悟 空 赶 回 了 家 。

　　méi yǒu sūn wù kōng de bǎo hù　　táng sēng hěn kuài jiù bèi yāo
　　没 有 孙 悟 空 的 保 护 ，唐 僧 很 快 就 被 妖

guài zhuā zhù le　　zhū bā jiè táo le chū lái　　zhǎo dào sūn wù
怪 抓 住 了 。猪 八 戒 逃 了 出 来 ， 找 到 孙 悟

kōng　　qǐng tā qù dā jiù shī fu　　wèi le dǎ bái gǔ jīng yí ge cuò
空 ， 请 他 去 搭 救 师 父 。为 了 打 白 骨 精 一 个 措

shǒu bù jí　　sūn wù kōng gù yì zhuāng zuò shēng qì de yàng zi
手 不 及 ， 孙 悟 空 故 意 装 做 生 气 的 样 子

shuō　　shī fu bù tīng wǒ de huà　　shòu le yāo guài de piàn　bǎ
说 ："师 父 不 听 我 的 话 ， 受 了 妖 怪 的 骗 ，把

wǒ gǎn huí le jiā　　zhè huìr　hái xiǎng qǐng wǒ qù jiù tā ma　tā
我 赶 回 了 家 ， 这 会 儿 还 想 请 我 去 救 他 吗 ?他

yīng gāi yòng shàn xīn gǎn huà yāo guài ya　　zhū bā jiè zěn me
应 该 用 善 心 感 化 妖 怪 呀 。" 猪 八 戒 怎 么

shuō yě méi yǒu yòng　yí qì zhī xià　　jiù zì jǐ qù jiù shī fu
说 也 没 有 用 ，一 气 之 下 ， 就 自 己 去 救 师 父 ，

jié guǒ yě bèi zhuā zhù le　　ér sūn wù kōng zhè shí yǐ jing biàn
结 果 也 被 抓 住 了 。而 孙 悟 空 这 时 已 经 变

chéng bái gǔ jīng de mǔ qīn lái dào le yāo guài de dòng li
成 白 骨 精 的 母 亲 来 到 了 妖 怪 的 洞 里 。

　　bái gǔ jīng tīng shuō sūn wù kōng bù kěn lái dā jiù táng sēng
　　白 骨 精 听 说 孙 悟 空 不 肯 来 搭 救 唐 僧 ，

fēi cháng dé yì   yào hé mǔ qīn yì qǐ tòng tòng kuài kuài de chī
非 常 得 意， 要 和 母 亲 一 起 痛 痛 快 快 地 吃

táng sēng ròu   zhèng dāng shí fēn wēi jí de shí hou   sūn wù kōng
唐 僧 肉。 正 当 十 分 危 急 的 时 候， 孙 悟 空

chū xiàn le   tā kǒu tǔ shén huǒ shāo sǐ le bái gǔ jīng   bǎ shī fu
出 现 了， 他 口 吐 神 火 烧 死 了 白 骨 精， 把 师 父

jiù le chū lái
救 了 出 来。

zhè shí   táng sēng cái míng bai qián mian de nǚ zǐ   lǎo tài tai
这 时， 唐 僧 才 明 白 前 面 的 女 子、老 太 太

hé lǎo tóur   dōu shì bái gǔ jīng biàn de   tā fēi cháng hòu huǐ   bù
和 老 头 儿 都 是 白 骨 精 变 的。 他 非 常 后 悔， 不

gāi qīng xìn yāo guài de guǐ jì   bǎ tú dì gǎn zǒu   tā yě míng bai
该 轻 信 妖 怪 的 诡 计， 把 徒 弟 赶 走。 他 也 明 白

了孙悟空说的是对的，看人不能只看表面，妖怪就是妖怪，它总是要吃人的，对它绝不能讲情面。

Three Times Fighting the White Bone Demon

(Ming Dynasty) Wu Cheng'en *Journey to the West*

Monkey, Piggy and Sandy protected their master, Triptika, on his pilgrimage to the west to retrieve Buddhist scriptures. During the journey, they encountered many monsters. One day, the four arrived at a mountain. On the mountain, there lived the White Bone Demon, transformed from a pile of bones. White Bone Demon heard that one could become immortal after eating Triptika's flesh, so she set out to catch him. To avoid being recognized by Monkey, she first transformed into a young girl who offered the four some bread. Monkey saw through her and tried to kill the incarnation, but White Bone Demon turned into smoke and escaped. Triptika didn't know the girl was a demon, and he scolded Monkey for acting so brash. The second time White Bone Demon transformed into an old lady asking Triptika about her daughter. Monkey killed the incarnation again, but White Bone Demon escaped. The third time the White Bone Demon transformed into an old man asking for his wife and daughter. Monkey killed the incarnation once more. This time Triptika discharged Monkey, for he thought Monkey had killed three innocent people. Without Monkey's protection the White Bone Demon soon had him captured. Piggy went to persuade Monkey to come back and save their master. Monkey pretended to be White Bone Demon's mother, coming to share Triptika's flesh. At the crucial moment, Monkey spat out fire and killed the White Bone Demon.

rén shēn guǒ
11. 人参果

（明）吴承恩《西游记》

在通往西天的路上，有一座万寿
山，山上有一座五庄观，观里长着
一棵人参果树。这棵果树一万年才结三十
个果子，果子的模样就像三岁的小孩儿一
样。人如果吃了一个果子，就可以活四万七
千年。

有一天，观里的镇元大仙要出门，他
吩咐两个道童，好好儿看守道观和人参
果树，并特地嘱咐他们："如果有个到西天
取经的唐僧经过这里，要送两个人参果
给他吃，因为那是一个有道的高僧。"说完

jiù zǒu le
就 走 了 。

táng sēng guǒ rán dài zhe tú dì sūn wù kōng　　zhū bā jiè hé
唐 僧 果 然 带 着 徒 弟 孙 悟 空 、 猪 八 戒 和

shā hé shang jīng guò wǔ zhuāng guàn　liǎng ge dào tóng gōng gōng
沙 和 尚 经 过 五 庄 观 。 两 个 道 童 恭 恭

jìng jìng de qǐng tā men jìn le dào guàn　　ràng táng sēng zài yí ge
敬 敬 地 请 他 们 进 了 道 观 ， 让 唐 僧 在 一 个

fáng jiān li hē chá　bǎ sūn wù kōng tā men ràng dào bié de fáng
房 间 里 喝 茶 ， 把 孙 悟 空 他 们 让 到 别 的 房

jiān qù xiū xi　rán hòu tā liǎ dào hòu yuán li dǎ le liǎng ge rén
间 去 休 息 。 然 后 他 俩 到 后 园 里 打 了 两 个 人

shēn guǒ sòng gěi táng sēng chī　shéi zhī táng sēng yí jiàn rén shēn
参 果 送 给 唐 僧 吃 。 谁 知 唐 僧 一 见 人 参

guǒ　jiù hài pà de shuō　　nǐ men zhè guàn li zěn me chī rén
果 ， 就 害 怕 地 说 ："你 们 这 观 里 怎 么 吃 人

ya　　bù guǎn liǎng ge dào tóng zěn me jiě shì　tā hái shi xià de
呀 ？"不 管 两 个 道 童 怎 么 解 释 ， 他 还 是 吓 得

bù gǎn chī　liǎng ge dào tóng méi yǒu bàn fǎ　yòu pà rén shēn guǒ
不 敢 吃 。 两 个 道 童 没 有 办 法 ， 又 怕 人 参 果

fàng de shí jiān cháng le jiù huài le　yú shì tā men jiù yì rén yí
放 的 时 间 长 了 就 坏 了 ， 于 是 他 们 就 一 人 一

ge fēn zhe chī le
个 分 着 吃 了 。

méi xiǎng dào zhè jiàn shì ràng zhū bā jiè tīng dào le　dé zhī
没 想 到 这 件 事 让 猪 八 戒 听 到 了 ， 得 知

rén shēn guǒ de hǎo chù tā zǎo jiù chán de zhí liú kǒu shuǐ le
人 参 果 的 好 处，他 早 就 馋 得 直 流 口 水 了。

shéi xiǎng shī fu bú rèn shi rén shēn guǒ fǎn ràng liǎng ge dào tóng
谁 想 师 父 不 认 识 人 参 果，反 让 两 个 道 童

gěi chī le tā xīn li zháo jí jiù zhǎo dào sūn wù kōng jiào tā
给 吃 了，他 心 里 着 急，就 找 到 孙 悟 空，叫 他

qù tōu jǐ ge lái sūn wù kōng yě tīng shuō guò rén shēn guǒ yě
去 偷 几 个 来。孙 悟 空 也 听 说 过 人 参 果，也

xiǎng cháng chang shì shén me zī wèi tā jīng bù qǐ zhū bā jiè de
想 尝 尝 是 什 么 滋 味。他 经 不 起 猪 八 戒 的

zài sān kěn qiú jiù lái dào hòu yuán pá shàng guǒ shù dǎ le jǐ
再 三 恳 求，就 来 到 后 园，爬 上 果 树，打 了 几

个果子回来,和猪八戒、沙和尚分着吃了。

他们正吃得高兴呢,两个道童从门外路过,听见里面说什么"人参果真好吃",吓得他俩赶快跑到后园里,数了又数,果然少了好几个果子。他们又气又急,跑到唐僧那儿,骂道:"你这个和尚真坏!好心请你吃,你假装害怕不敢吃,却暗地里偷着吃!"唐僧不明白发生了什么事,叫来三个徒弟,仔细询问。开始三个徒弟谁都不肯承认,后来唐僧说:"我们本来做错了事,应该好好儿地承认,向人家赔礼道歉才对。"孙悟空想师父说得对,就把事情的经过都说了出来。两个道童听说果然是他们偷吃了果子，怕师父回来了没法交代，急得不断地骂："你们这些贼！你们这些贼！"骂得他们几个又羞又愧。

孙悟空被骂得实在受不了，干脆就又跑到后园去，把人参果树推倒了，这下果子掉了，叶子也掉了。孙悟空这才觉得心里痛快了。

镇元大仙回来后听说了这件事，非常生气。他怪唐僧管教不严，让徒弟做出这样的事，就把唐僧抓住，让孙悟空去想办法把果树医好。

孙悟空这才知道犯了大错，他飞遍了五湖四海，找了很多神仙都没有办法。最后

tā zhǐ hǎo qù qiú guān yīn pú sà　　pú sà yī hǎo le guǒ shù hái
他只好去求观音菩萨。菩萨医好了果树，还

zhǔ fù sūn wù kōng yǐ hòu zuò shì bú yào zài zhè yàng lǔ mǎng bù
嘱咐孙悟空以后做事不要再这样鲁莽不

kǎo lǜ hòu guǒ　　sūn wù kōng tā men dōu hěn cán kuì　jué de zì
考虑后果。孙悟空他们都很惭愧，觉得自

jǐ zuò de tài bù yīng gāi le　　zhèn yuán dà xiān hé dào tóng jiàn tā
已做得太不应该了。镇元大仙和道童见他

men rèn shi le cuò wù　　jiù yuán liàng le tā men　hái qǐng tā men
们认识了错误，就原谅了他们，还请他们

chī rén shēn guǒ ne
吃人参果呢。

The Ginseng Fruit

Wu Cheng'en *Journey to the West*

On the way to the Western Heavens, on Mt. Wanshou there grew a ginseng fruit tree. Once every ten thousand years, there only grew thirty ginseng fruits. Eating one fruit, one could live for forty seven thousand years. The god who owned the tree knew Triptika and his disciples would pass there, so he told his servants give the four one each. When Triptika saw the fruit, he was startled by its strange appearance and wouldn't eat it. However the disciples wanted to eat more, so Monkey went into the yard and took a few. The servants found out and accused the four of being thieves. Monkey couldn't take all the abuse, so he went and destroyed the ginseng fruit tree. When the god came back and found out his tree was broken, he was very angry. He captured Triptika, and wouldn't release him until Monkey found a way to fix the tree. Monkey flew over the seas and heavens, but no god could help him. At last it was the Bodhisattva Guanyin who fixed the fruit tree. She scolded Monkey, and Monkey promised never to act so childish again.

12. 王安石三难苏学士

（明）冯梦龙《警世通言》

宋朝的大文学家苏轼，别号苏东坡，因为才学过人，当了京城翰林院的学士。他年轻时有个缺点，就是自以为无所不知，经常嘲笑别人。

有一次，他去宰相王安石的家中拜访，在书房等候时，发现桌上有一篇没有写完的诗稿，说的是秋天菊花凋落的情景。苏东坡看后笑道：宰相真是老了，一首诗才写了两句就写不下去了，而且连这两句也是毫无道理的。秋天正是菊花开得

zuì hǎo de shí hou shén me shí hou kàn jiàn guò jú huā bèi qiū fēng
最好的时候，什么时候看见过菊花被秋风

chuī luò ne tā shí zài rěn bú zhù jiù ná qǐ bǐ zài nà liǎng jù
吹落呢！他实在忍不住，就拿起笔在那两句

shī de hòu mian xiě le zǐ jǐ de yì si xiě wán yě bù děng hé
诗的后面写了自己的意思。写完，也不等和

wáng ān shí jiàn miàn jiù huí jiā qù le
王安石见面，就回家去了。

wáng ān shí lái dào shū fáng bú jiàn le sū dōng pō què
王安石来到书房，不见了苏东坡，却

kàn jiàn le nà piān shī gǎo kāi shǐ tā fēi cháng shēng qì zhè
看见了那篇诗稿。开始，他非常生气：这

ge sū dōng pō zǒng shì zhè yàng zì yǐ wéi shì kàn wǒ zěn me
个苏东坡，总是这样自以为是，看我怎么

惩罚他一下！后来又一想：这种秋天凋落的菊花只有在黄州才能看到，他没见过，确实也不知道。于是，王安石就请皇上下旨，让苏东坡到黄州去做官。

苏东坡临走之前，王安石把他叫来说："依你的才能，到黄州这样的小地方去做官是太容易了，空闲的时候还要多看看书哇！另外，我有一件事想托你，我有个老毛病，医生说非要三峡的中峡水沏茶喝，才能治好。你从黄州回来时，路过三峡，就请你带一坛中峡水给我吧。"苏东坡答应了。

苏东坡到黄州将近一年。这时正是

qiū tiān jǐ tiān de dà fēng chuī guò sū dōng pō dào hòu huā yuán
秋天，几天的大风吹过，苏东坡到后花园

sàn bù shí yì wài de fā xiàn yuán zi li de jú huā dōu bèi fēng
散步时，意外地发现园子里的菊花都被风

chuī luò le zhè shí tā xiǎng qǐ wáng ān shí de shī hé zì jǐ xù
吹落了。这时，他想起王安石的诗和自己续

de liǎng jù xiū kuì de bù de liǎo tā jué de zì jǐ tài kuáng
的两句，羞愧得不得了，他觉得自己太狂

wàng wú zhī le
妄无知了。

sū dōng pō huí jīng chéng shí lù guò sān xiá yīn wèi lǚ tú
苏东坡回京城时，路过三峡，因为旅途

láo lèi bù zhī bù jué de shuì zháo le děng tā xǐng lái chuán
劳累，不知不觉地睡着了。等他醒来，船

yǐ jīng dào xià xiá le tā xiǎng sān xiá de shuǐ shì xiāng lián
已经到下峡了。他想：三峡的水是相连

de nǎ li yǒu shén me qū bié yú shì jiù jiào rén zài xià xiá dǎ
的，哪里有什么区别？于是，就叫人在下峡打

le yì tán shuǐ
了一坛水。

děng dào tā fǎn huí jīng chéng jiù dài zhe nà tán shuǐ qù jiàn
等到他返回京城，就带着那坛水去见

wáng ān shí wáng ān shí jiàn le tā wèn nǐ jiàn dào huáng
王安石。王安石见了他，问："你见到黄

zhōu de jú huā le ma sū dōng pō xiū kuì de huí dá jiàn dào
州的菊花了吗？"苏东坡羞愧地回答："见到

了，都是我的错，请您原谅。"王安石说：

"你没见过的事，也不能怪你。我托你带的

水，带来了吗？"苏东坡回答："带来了。"

王安石叫人用水沏茶，等了半天，茶

色才出来。王安石笑道："这是下峡的水

吧？"苏东坡大吃一惊："您怎么知道的？"

王安石说："这三峡的水，上峡水性急，

沏茶味儿浓；下峡水性缓，沏茶味儿淡；只

有中峡的水不急不缓，沏茶浓淡合适。我

见茶色半天才出来，就知道这是下峡的水

了。读书人要细心观察生活，博览群书，

学问才能扎实啊。"

王安石又说："现在你来考考我吧。我

这里有二十四柜书，你随便拿出一本，从中挑出任何一句，我就把它的下一句说出来。"苏东坡想：这么多书，看过都不容易，还能都记住？于是，苏东坡挑了一本有灰尘的，他想：这是他好久没看的，大概早就忘了。就随便念了一句，王安石马上就把下一句说出来了，而且还原原本本地说明了这句话的由来，苏东坡听了，不得不佩服。

王安石笑道："你考过我了，我也来考考你，好吗？听说你最善于对对联，我就出个上联给你吧。"他一连出了三个上联，苏东坡苦苦思索，都没对上来，只好认

shū
输。

　　xué wen xiàng dà hǎi yí yàng méi yǒu zhǐ jìng　　xiàng sū dōng
　　学 问 像 大 海 一 样 没 有 止 境， 像 苏 东

pō zhè yàng yǒu tiān cái de rén hái huì bèi rén nán zhù　 hé kuàng nà
坡 这 样 有 天 才 的 人 还 会 被 人 难 住， 何 况 那

xiē xué wen píng yōng de rén ne　 suǒ yǐ　 dú shū zuò rén yào zhī
些 学 问 平 庸 的 人 呢！ 所 以， 读 书 做 人 要 知

dào qiān xū qiú jiào　 bù néng zì gāo zì dà　 mù zhōng wú rén　 bù
道 谦 虚 求 教， 不 能 自 高 自 大， 目 中 无 人， 不

rán yě huì xiàng sū dōng pō nà yàng zāi gēn tou de
然 也 会 像 苏 东 坡 那 样 栽 跟 头 的。

Wang Anshi Outsmarts Scholar Su Three Times

(Ming Dynasty)Feng Menglong *A Transmitted Warning to the World*

When the great Song writer Su Shi was young, he thought he knew all there was to know and often laughed at others. Once, he went to visit the Prime Minister Wang Anshi. While waiting in Wang's study, he saw a half finished poem Wang wrote about chrysanthemums withering in autumn. Su thought it ws illogical, for chrysanthemums bloomed at their best during autumn. So he wrote down what he thought and left. When Wang saw this, he was furious at Su, and thought to himself: Su thinks he knows everything but he doesn't know at a place called Huangzhou, chrysanthemum withers in autumn. So he convinced the emperor to send Su to Huangzhou as the local government official. Before Su left, Wang told Su to read more books in his spare time, and also to bring him a jar of water from the middle gorge of the three gorges of the Changjiang River, for Wang's doctor told him the water there is beneficial to his health. Su agreed. In Huangzhou, Su saw in autumn the chrysanthemums withered and was embarrassed aobut the poem he finished for Wang. While passing the three gorges, Su fell asleep and didn't wake until the boat was at the lower gorge, he thought to himself, there aren't any differences between the water of the three gorges, so he filled up a jar of water there. When he gave the water to Wang, Wang immediately knew the water wasn't from the middle gorge, for only water there can be made tea that was not too strong and not too light. Then Wang asked Su to test him. He asked Su to choose any book in his

study and read a sentence aloud,   then Wang would say the next sen-
tence.   Su chose a dusty old book and read aloud,   and was surprised
when Wang said the next sentence. From then on, Su studied hard and
became very modest.

13. 崂山道士

（清）蒲松龄《聊斋志异》

从前，有个人叫王七，平时特别喜欢神仙法术一类的事情。有一回，他听说崂山上有神仙，就告别家人到崂山上拜师求法去了。

他好不容易在崂山深处找到了一座道观，见到了一位道士，就恭恭敬敬地走上前去，说："您就是神仙吧？我是来向您学法的，请您收我做个徒弟吧。"

道士看了看王七，说："法术可不是天生就会的，要吃很多苦，你吃得了苦吗？"

wáng qī shuō néng néng wèi le xué dào fǎ shù wǒ shén
王七说："能！能！为了学到法术，我什

me kǔ dōu néng chī yú shì dào shi jiào lái qí tā de tú dì
么苦都能吃。"于是，道士叫来其他的徒弟，

ràng wáng qī yǔ tā men jiàn guò miàn yòu gěi le wáng qī yì bǎ
让王七与他们见过面，又给了王七一把

fǔ zi jiào tā měi tiān hé dà jiā yì qǐ shàng shān kǎn chái bù
斧子，叫他每天和大家一起上山砍柴。不

zhī bù jué yí ge duō yuè guò qù le wáng qī měi tiān dōu shàng
知不觉一个多月过去了，王七每天都上

shān kǎn chái shǒu dōu mó qǐ le jiǎng zi kě shì hái bú jiàn dào
山砍柴，手都磨起了膙子，可是还不见道

shi yǒu chuán shòu fǎ shù de yì si tā jué de tài kǔ le jiù àn
士有传授法术的意思。他觉得太苦了，就暗

àn de hòu huǐ qǐ lái
暗地后悔起来。

yǒu yì tiān wǎn shang tā hé dà jiā kǎn chái huí lái kàn jiàn
有一天晚上，他和大家砍柴回来，看见

dào shi hé liǎng ge péng you zhèng zài hē jiǔ tán huà zhè shí tiān
道士和两个朋友正在喝酒谈话。这时天

yǐ jing hēi le yí ge péng you shuō yào ná dēng lái dào shi
已经黑了，一个朋友说要拿灯来，道士

shuō bú yòng shuō zhe ná qǐ yì zhāng zhǐ jiǎn le yí
说："不用。"说着，拿起一张纸，剪了一

ge yuè liang de xíng zhuàng wǎng qiáng shang yì tiē wū li lì
个月亮的形状，往墙上一贴，屋里立

kè yuè guāng míng liàng　lián rén de tóu fa dōu kàn de qīng qīng chǔ
刻月光明亮，连人的头发都看得清清楚

chǔ　　tú dì men kàn le　dōu chī jīng de jiào le qǐ lái　　dào shi
楚。徒弟们看了，都吃惊地叫了起来。道士

kàn dào tú dì men yě lái le　jiù ná le yì hú jiǔ gěi tā men
看到徒弟们也来了，就拿了一壶酒给他们。

dà jiā nǐ yì bēi wǒ yì bēi de hē　jiǔ bù tíng de wǎng wài dào
大家你一杯我一杯地喝，酒不停地往外倒，

dàn hǎo xiàng yǒng yuǎn yě dào bù wán shì de
但好像永远也倒不完似的。

hē le yí huìr　　yí ge péng you shuō　　zhè me hē jiǔ méi
喝了一会儿，一个朋友说："这么喝酒没

yì si a　　　shuō zhe　tā jiù ná qǐ yì gēn kuài zi wǎng zhǐ
意思啊。"说着，他就拿起一根筷子往纸

yuè liang shang yì rēng　yuè liang zhōng lì kè yǒu yí ge chuān zhe
月亮上一扔，月亮中立刻有一个穿着

wǔ cǎi yī shang de měi nǚ fēi le chū lái　hái yì biān chàng yì
五彩衣裳的美女飞了出来，还一边唱一

biān tiào　dà jiā hē zhe jiǔ　tīng zhe gē　jué de zì jǐ hǎo xiàng
边跳。大家喝着酒，听着歌，觉得自己好像

jiù zài yuè liang shang de gōng diàn li　nà ge měi nǚ chàng wán
就在月亮上的宫殿里。那个美女唱完

tiào wán　fēi dào zhuō zi shang　zhuǎn yǎn jiān jiù yòu biàn chéng
跳完，飞到桌子上，转眼间就又变成

le yì gēn kuài zi
了一根筷子。

这时，又有一个朋友说："今天玩儿得真是太高兴了。可是我有点儿醉了，你们把我送回月宫里去吧。"于是三个人和酒呀菜呀的都飞了起来，慢慢地移到月亮上去了。过了一会儿，月亮渐渐地暗下来了，大家把灯拿来一看，只见道士一个人坐在那里，两个朋友都不见了，而桌上还有吃剩的酒菜，墙上还有一个纸月亮。道士问大家："今天的酒都喝够了吗？"大家都回答喝够了。道士说："那么大家回去休息吧，明天还要起来砍柴呢。"

王七看了那道士的法术以后，有一段时间不想回家了，还想学法术。可是又一个月过去了，道士还是只让大家每天砍柴。

王七又后悔了，就跑去和道士说："老师，我是来向您求教的，可是两个多月过去了，您只让我砍柴，也不教我学法，我想回家了。"道士笑了笑说："我早说过，学法是要吃苦的，你看，现在你受不了了吧。好吧，明天你回去吧。"王七说："可是我老远的跑来一趟，很不容易，求您教我一点儿法术吧。"他苦苦地哀求，最后，道士问："那你想学什么呢？"王七说："我常看见您走路时遇到墙壁也能穿过去，我就学这个吧。"于是，道士把穿墙术的口诀告诉了王七，并且说："心里念着口诀，然后快速地冲过去，不要犹豫。"

王七做了一次，果然成功了。道士说：

"学会了法术要用来做好事，心里不能有

杂念，不然法术会失灵的。"王七拜谢了道

士，高高兴兴地下山回家了。

回家以后，王七见人就说他遇到了神

仙，学会了一身法术，大家不信，让他演示

演示。王七说："那我就给你们表演一个

穿墙术吧。"于是，他默念着口诀，低着

头，冲着一堵墙一头撞过去，只听

"砰"的一声，王七被撞倒在地上，头

上碰起了一个大包，疼得他眼泪都下来

了。大家都哈哈大笑起来，说："这就是你学

de fǎ shù ya
的 法 术 呀 ？ ”

　　wáng qī yì biān róu zhe tóu shang de bāo　　yì biān zài xīn li
　　王 七 一 边 揉 着 头 上 的 包 ， 一 边 在 心 里
nà mèn　wǒ de fǎ shù zěn me bù líng le ne
纳 闷 ： 我 的 法 术 怎 么 不 灵 了 呢 ？

The Taoist from Mt.Lao

(Qing Dynasty) Pu Songling *Strange Stories from Liaozhai*

There once was a man named Wang, he was interested in the supernatural, so when he heard there was an immortal on Mt.Lao, he left his family to learn magic. After much hardship, he finally encountered a Taoist. He asked the Taoist to accept him as his pupil. The Taoist areed as long as Wang promised he would work hard. For over a month, the Taoist made Wang go on the mountains and cut firewood every day. Wang began to regret his decision to stay. One night, Wang saw his master drinking with his two friends. One of the friends said it was too dark, so the Taoist cut out a piece of paper into the shape of the moon, and glued it onto the wall, immediately it glowed with moonlight. Seeing his pupils were there, the Taoist gave them a pot of wine, and the wine poured out nonstop. After a while someone said just drinking was dull, so the Taoist threw a chopstick onto the moon and a beautiful girl jumped out and started to sing and dance. When the girl finished she flew onto the table and turned into a chopstick again. After that night, Wang decided to stay again. But his master continued to make him cut firewood. Another month passed, Wang went to the master to complain, and begged his master to teach him something before he went home. So the Taoist taught him how to walk through a wall, but reminded him magic was only to be used for good purposes, otherwise it won't work. When Wang got home he was eager to show off his new trick, but when he tried it, he banged into the wall and got a big bruise on his head.

qiāng tiǎo xiǎo liáng wáng
14. 枪挑小梁王

qīng qián cǎi   shuō yuè quán zhuàn
（清）钱彩《说岳全传》

sòng cháo shí hou   běi fāng de jīn rén wèi le zhēng duó tǔ
宋 朝 时 候 ， 北 方 的 金 人 为 了 争 夺 土

dì   jīng cháng xiàng zhōng yuán jìn fàn   lián nián fā shēng zhàn
地 ， 经 常 向 中 原 进 犯 ， 连 年 发 生 战

luàn lǎo bǎi xìng de shēng huó fēi cháng tòng kǔ   wèi le kàng jī jīn
乱 ，老 百 姓 的 生 活 非 常 痛 苦 。为 了 抗 击 金

bīng   cháo tíng xià lìng tōng guò bǐ wǔ xuǎn bá yōu xiù de rén cái
兵 ， 朝 廷 下 令 通 过 比 武 选 拔 优 秀 的 人 才 。

yuè fēi shì ge wén wǔ shuāng quán de rén   tā tīng shuō le bǐ
岳 飞 是 个 文 武 双 全 的 人 ，他 听 说 了 比

wǔ de xiāo xi hòu   yě lái cān jiā   xī wàng yǒu jī huì kàng jī
武 的 消 息 后 ， 也 来 参 加 ， 希 望 有 机 会 抗 击

jīn bīng bào xiào guó jiā   tā zài bǐ wǔ de shí hou   zhàn shèng
金 兵 ， 报 效 国 家 。 他 在 比 武 的 时 候 ， 战 胜

le xǔ duō rén   yǎn kàn jiù kě yǐ dé dào zuì gāo de zhuàng yuan
了 许 多 人 ， 眼 看 就 可 以 得 到 最 高 的 状 元

le   zhè shí   yǒu yí ge fān wáng chái guì   shì liáng wáng   tā
了 。 这 时 ， 有 一 个 藩 王 柴 桂 ， 是 梁 王 ，他

xiǎng tōng guò bǐ wǔ xiǎn shì zì jǐ de cái néng   shùn biàn zài duō
想 通 过 比 武 显 示 自 己 的 才 能 ， 顺 便 再 多

结交一些能人，将来帮助自己做皇帝。他暗地里送给一个考官许多钱，想让他帮助自己夺取状元的称号。现在，见一个无名的岳飞居然要和自己争状元，十分生气，就让那个考官难为一下岳飞。

考官只看到岳飞武艺高强，心想也许他的文笔不太好吧，于是让岳飞和他们一起做文章。不料岳飞的文章写得比梁王好多了。没有办法，只好两个人再比武。

两个人先比箭。那个考官让岳飞先射，并且偷偷地把箭靶移远了好多。只见岳飞拉开弓，一连射了九枝箭，第一枝箭射中了靶心，其他的八枝箭都从第一枝箭的箭孔中射了过去。梁王见了，不敢再比，就提出比刀。两人比了一阵，梁王觉得打不过岳飞，就先跑到考官那里，借口说岳飞的武艺太差了，没法继续比，同时让那个考官替他拉拢一下岳飞。

考官就对岳飞说："梁王是个很有才能的人，将来一定前途远大，你为什么不跟他一起合作呢？如果你现在不考了，他会给你很多钱的。"岳飞一心想报效国家，一听这话，非常生气，一定要继续比。于是，他和梁王说好，一定要比到两个人中的一个胜了为止。他们还写了一张

shēng sǐ wén shū　　shuō míng bǐ wǔ shí rú guǒ nǎ ge shī shǒu
生 死 文 书，说 明 比 武 时 如 果 哪 个 失 手

shāng le duì fāng　　bù guǎn yǒu shén me hòu guǒ dōu bú yòng fù
伤 了 对 方，不 管 有 什 么 后 果 都 不 用 负

zé　rán hòu　liǎng ge rén gè zì qí shàng mǎ　dǎ suàn yì bǐ gāo
责。然 后，两 个 人 各 自 骑 上 马，打 算 一 比 高

dī
低。

liáng wáng yì xīn xiǎng dāng zhuàng yuan　　ér qiě hèn yuè fēi
梁 王 一 心 想 当 状 元，而 且 恨 岳 飞

bú yuàn yì tì tā zuò shì　suǒ yǐ bǐ wǔ de shí hou yì diǎnr　yě
不 愿 意 替 他 做 事，所 以 比 武 的 时 候 一 点 儿 也

不留情，拿着刀只往岳飞致命的地方砍。岳飞看他武艺虽然不精，心肠却非常狠毒，也就使出了全身的本事来和他较量。打了不一会儿，岳飞就把梁王从马上挑了下去。梁王受了重伤，不久就死了。

因为岳飞和梁王两个人事先有生死文书，加上主考官查明是梁王在比武时不断地使手段，所以岳飞不但没有受到什么处罚，反而得到了状元，领着兵马去抗击金兵。后来他当上了元帅，并且成了中国历史上一位有名的民族英雄。

Spearing Liang off the Horse

(Qing Dynasty) Qian Cai *Legend of Yue Fei*

During the South Song period, the Jins from the north kept invading China. To defeat them, the imperial government planned to organize a fighting contest to seek out competent warriors. Yue Fei was a man of both literary and military abilities. When he heard of the contest, he wanted to serve his country and fight the Jins. There was a local ruler named Liang who wanted to use the chance to show-off his skills and gather up some others to overthrow the government. Yue Fei beat him both in the essay writing and archery sections. At that point, Liang sent someone to bribe Yue Fei, but Yue Fei refused, for he genuinely wanted to serve his country. Liang got angry and in the last spear contest, he tried all his might to kill Yue Fei, but Yue Fei was more skillful and used his spear to make Liang fall off the horse, Liang soon died. Yue Fei later became a great marshal and a national hero in Chinese history.

15. 范进中举
fàn jìn zhòng jǔ

（清）吴敬梓《儒林外史》
qīng wú jìng zǐ rú lín wài shǐ

明朝时，在山东有个穷书生叫范进，已经五十多岁了，他考过二十多次科举，都因为考官说他的文章别人看不懂而没有考中。后来新来了一个考官，他觉得范进的文章粗看确实看不太懂，可是仔细琢磨，里面却道理深远，于是终于让他考取了相公，而且鼓励他再去考举人。

范进回到家里，正碰上他的丈人胡屠户来给他贺喜。那胡屠户最势利，以前范进没有考中时，他从来不到范进家。现在见女婿做了相公，就对范进说了一大套话，让他从此以后要多结交一些有钱有势力的人，不要再和那些普通百姓来往了。范进刚和他说起因为要考举人缺少路费，想跟他借一点儿钱，他就勃然大怒，指着范进骂道："你看看自己那副尖嘴猴腮的样子，别忘了你是个什么人！你这个相公还是人家看你老了，可怜你，才给你的。现在你又想考什么举人，那些举人都是天上的神仙下凡，哪儿有你这样穷鬼的份儿！简直是癞蛤蟆想吃天鹅肉。真后悔当初怎么把女儿嫁给了你。我不能把钱给你，让你去白白丢在水里，你就死了这条心吧！"

范进挨了骂，心里却想：大家都说我的文章已经写得不错了，如果不去考一下，怎么能甘心呢？于是在几个同学的帮助下，还是偷偷地去考了。没想到这一次他居然考中了。大家来给他报喜的时候，他正因为家里没有米而在集上卖鸡换米呢。听说自己考中了，他先是不相信，以为大家在开他的玩笑，等看到了录取他的喜报，他竟高兴得一下子摔倒在地上，等爬起来时，一边拍巴掌大笑："噢，我中了！我中了！"一边到处乱跑起来。

大家一看，原来是他太高兴了，有点儿疯了，于是纷纷想办法。有一个人说："这

yàng de qíng kuàng xū yào yí ge fàn jìn zuì pà de rén lái dǎ tā yí
样 的 情 况 需要 一个 范 进 最怕 的 人来 打 他 一

xià xià yí xià nǎo zi jiù qīng xǐng le   dà jiā dōu xiǎng dào
下 ，吓一吓 ，脑 子 就 清 醒 了 。"大 家 都 想 到

le hú tú hù yú shì mǎ shàng bǎ tā qǐng lái shuō míng le qíng
了 胡 屠 户 ，于 是 马 上 把 他 请 来 ，说 明 了 情

kuàng qǐng tā dǎ fàn jìn hú tú hù tīng shuō nǚ xu yǐ jing kǎo
况 ，请 他 打 范 进 。胡 屠 户 听 说 女 婿 已 经 考

shàng le jǔ rén jiù bù gǎn dǎ rèn wéi shén xiān shì dǎ bù dé
上 了举人 ，就 不 敢 打 ，认 为 神 仙 是 打 不 得

de dà jiā quàn tā shuō jiù rén yào jǐn jiù hǎo le shén xiān
的 。大 家 劝 他 说 ："救人要紧 ，救 好 了 神 仙

hái gāo xìng ne quàn le bàn tiān hú tú hù cái zhuàng zhe dǎn
还 高 兴 呢 。"劝 了 半 天 ，胡 屠 户 才 壮 着 胆

zi shǐ jìnr dǎ le fàn jìn yì bā zhang fàn jìn bèi dǎ hūn le
子使劲儿打了范进一巴掌。范进被打昏了，

xǐng guò lái yǐ hòu tù le yì kǒu tán nǎo zi qīng xǐng le bù
醒过来以后，吐了一口痰，脑子清醒了，不

fēng le hú tú hù gǎn jǐn guò lái shuō lǎo ye shì dà jiā
疯了。胡屠户赶紧过来说："老爷，是大家

quàn wǒ dǎ nǐ de bú shì wǒ yào dǎ de ya
劝我打你的，不是我要打的呀。"

cóng cǐ fàn jìn jié jiāo le hěn duō yǒu qián yǒu dì wèi de
从此，范进结交了很多有钱有地位的

rén jiā li yě bù qióng le hú tú hù jīng cháng dào fàn jìn jiā
人，家里也不穷了。胡屠户经常到范进家

bāng máng zuò shì hái jiàn rén jiù kuā wǒ zǎo jiù kàn chū lái
帮忙做事，还见人就夸："我早就看出来

tā jiāng lái yí dìng bú yì bān cái bǎ nǚ ér jià gěi tā wǒ zhè
他将来一定不一般，才把女儿嫁给他。我这

ge nǚ xu ya nǎo zi yòu cōng míng xiàng mào yòu yīng jùn zhēn
个女婿呀，脑子又聪明，相貌又英俊，真

shì ge rén cái ya
是个人才呀！"

Fan Jin Passing the Imperial Examinations

(Qing Dynasty)Wu Jingzi *The Scholars*

During the Ming dynasty there lived a scholar in Shandong named Fan Jin, he was over fifty but still hadn't passed the imperial examinations. Then a new examiner arrived. He saw that Fan's essays were difficult to understand but carried great meanings at a closer look, so he raised him to a higher level of scholar, named Xianggong, and encouraged him to take the imperial examinations. When Fan went home, he saw his father-in-law, Butcher Hu waiting for him. Hu was a snob who used to look down on Fan; he came to tell Fan to mix around with more rich and powerful people now that he's a Xianggong. Fan asked for Hu to lend him some money for the trip to take the imperial examination. Hu refused and told Fan he should be happy with what he already had. Fan was determined to take the imperial examination, so he borrowed some money to go, and this time he passed. When he heard the news, he was hysterical. People around him said he went mad in ecstasy, and what he needed was someone he feared to slap him on the face. They found Hu. At first Hu didn't dare to do it, for Fan's status had raised. Finally Hu slapped Fan, and Fan became normal again. From then on, Hu always bragged about his son-in-law, and how he always knew Fan was going to become somebody someday.

bǎo yù ái dǎ

16·宝玉挨打

qīng cáo xuě qín hóng lóu mèng
（清）曹雪芹《红楼梦》

　　jiǎ bǎo yù shēng zhǎng zài yí ge dà jiā tíng li　　zhè ge jiā
贾宝玉生长在一个大家庭里，这个家

tíng píng shí fēi cháng zhòng shì lǐ jiào　　yīn wèi bǎo yù shì jiā li
庭平时非常重视礼教。因为宝玉是家里

wéi yī de nán hái zi　suǒ yǐ fù qīn jiǎ zhèng duì tā de guǎn jiào
惟一的男孩子，所以父亲贾政对他的管教

hěn yán gé　　bù xǔ tā suí biàn wài chū yóu wánr　　　yào tā hǎo
很严格，不许他随便外出游玩儿，要他好

hāor　zài jiā dú shū　jiāng lái zuò dà guān　gěi jiā tíng dài lái róng
好儿在家读书，将来做大官，给家庭带来荣

yào　kě shì　　bǎo yù bù xǐ huan dú nà xiē nèi róng chén jiù　xíng
耀。可是，宝玉不喜欢读那些内容陈旧、形

shì gǔ bǎn de shū　　rèn wéi nà xiē shū zhǐ huì ràng rén sǐ　jì yìng
式古板的书，认为那些书只会让人死记硬

bèi　méi yǒu sī háo shí zài de yòng chù　　tā hěn xiǎng zhǎo yì xiē
背，没有丝毫实在的用处。他很想找一些

yǒu qù de shū lái dú　　kě shì yīn wèi fù qīn guǎn de hěn yán　suǒ
有趣的书来读，可是因为父亲管得很严，所

yǐ gēn běn méi yǒu jī huì dé dào tā xǐ huan de shū　zài jiā shàng
以根本没有机会得到他喜欢的书。再加上

zhěng tiān dāi zài jiā li　　tā fēi cháng kǔ nǎo　　hěn xiǎng jiāo jǐ
整 天 呆 在 家 里 ， 他 非 常 苦 恼 ， 很 想 交 几

ge zhī xīn de péng you
个 知 心 的 朋 友 。

yǒu yí cì wài chū de shí hou　　bǎo yù rèn shi le yí ge wáng
有 一 次 外 出 的 时 候 ， 宝 玉 认 识 了 一 个 王

fǔ li chàng xì de yǎn yuán　　míng zi jiào qí guān　　qí guān zài
府 里 唱 戏 的 演 员 ， 名 字 叫 琪 官 。 琪 官 在

wáng fǔ li shòu dào de jìng shì qí shì hé wǔ rǔ　　yì diǎnr
王 府 里 受 到 的 净 是 歧 视 和 侮 辱 ， 一 点 儿

zhèng cháng rén de dì wèi yě méi yǒu　　tā gēn bǎo yù sù shuō le
正 常 人 的 地 位 也 没 有 。 他 跟 宝 玉 诉 说 了

zì yǐ de xīn suān　　bǎo yù duì tā fēi cháng tóng qíng
自 己 的 辛 酸 ， 宝 玉 对 他 非 常 同 情 。

yì tiān　　bǎo yù de jiā li hū rán lái le yí ge wáng fǔ de
一 天 ， 宝 玉 的 家 里 忽 然 来 了 一 个 王 府 的

jiā rén　　tā jiàn dào jiǎ zhèng　　duì tā shuō　　wǒ men wáng fǔ
家 人 。 他 见 到 贾 政 ， 对 他 说 ："我 们 王 府

li yǒu yí ge chàng xì de　　jiào qí guān　　wáng ye fēi cháng xǐ
里 有 一 个 唱 戏 的 ， 叫 琪 官 ， 王 爷 非 常 喜

huan tā　　kě shì zuì jìn tā hū rán tōu tōu lí kāi wáng fǔ táo zǒu
欢 他 ， 可 是 最 近 他 忽 然 偷 偷 离 开 王 府 逃 走

le　　wǒ men sì chù dǎ ting　　yǒu hěn duō rén shuō tā gēn nín jiā
了 。 我 们 四 处 打 听 ， 有 很 多 人 说 他 跟 您 家

de bǎo yù guān xì hěn hǎo　　suǒ yǐ wǒ men wáng ye pài wǒ lái
的 宝 玉 关 系 很 好 ， 所 以 我 们 王 爷 派 我 来 ，

请您问问您家宝玉，如果他知道琪官在什么地方，最好说出来，免得我们麻烦。等我们找到了琪官，王爷会很感谢您的。"

贾政听了这些话，又气又怕。他对王府的人说："我的儿子竟然和这样的事有关系，实在是我的过错。这样吧，请您先回去，我好好儿问问宝玉，一定要让他说清楚这件事。"于是，他恭恭敬敬地把王府的人送出去，回来后对家人说："去！快把宝玉叫来！"

宝玉听说父亲急着找他，不知道出了什么事。等他来到贾政的房间，只见父亲怒气冲冲地说："好哇，我让你在家里好好儿读书，将来做官给祖宗脸上增光，可是你不但跑出去玩儿，还跟唱戏的人交朋友！现在那个人跑了，王爷很生气。你说，那个人跑到哪儿去了？"宝玉先是害怕，后来又听父亲这样问他，就说："他在哪儿我怎么会知道呢？我只是和他说过话，不是什么亲密的朋友啊。"贾政听了宝玉的话，更生气了："什么？'亲密'？你还想和这样的人有'亲密'的关系吗？看来你是不会学好了，这样的儿子我还不如没有，省得败坏我们家庭的名誉！"说着，气势汹汹地叫仆人拿板子来，要打宝玉。

107

bǎo yù de mǔ qīn tīng shuō le zhè jiàn shì　　gǎn kuài pǎo lái
宝玉的母亲听说了这件事，赶快跑来，

kěn qiú jiǎ zhèng yuán liàng bǎo yù　　jiǎ zhèng bú dàn bù tīng　hái
恳求贾政原谅宝玉。贾政不但不听，还

xián pú rén dǎ de tài qīng　　jiù zì jǐ bǎ bǎn zi duó guò lái　　zhào
嫌仆人打得太轻，就自己把板子夺过来，照

zhe bǎo yù hěn hěn de dǎ　　dǎ de bǎo yù hūn sǐ guò qù　　jiǎ
着宝玉狠狠地打，打得宝玉昏死过去。贾

zhèng hái jué de bù jiě qì　　yòu jiào rén ná shéng zi lái　　yào bǎ
政还觉得不解气，又叫人拿绳子来，要把

bǎo yù lēi sǐ　　xìng kuī bǎo yù de zǔ mǔ lái le　　dà shēng zǔ zhǐ
宝玉勒死。幸亏宝玉的祖母来了，大声阻止

le jiǎ zhèng　　bǎo yù cái táo guò le　yì chǎng gèng dà de zāi nàn
了贾政，宝玉才逃过了一场更大的灾难。

家里人听说了这件事，都来探望宝玉，有的人还借机劝他从此不要再跟唱戏的人交往了，免得父亲生气了又要挨打。可是宝玉认为自己没有错，他说："挨打算得了什么，我为这样的人死了也是心甘情愿的。"

后来，有一天，宝玉终于因为忍受不了这种旧礼教的压制和束缚而离家出走了。

Bao Yu Receives a Beating

(Qing Dynasty) Cao Xueqin *A Dream of Red Mansions*

Jia Baoyu grew up in a big family. The family had very strict rules. Baoyu was the only son in the family, so his father Jia Zheng was particularly strict with him. Baoyu was supposed to stay home and study all day so he could one day become a government official. Baoyu hated his life, he found the books he had to read dull and wanted to go out and make so close friends. On an outing, Baoyu befriended an actor name Qiguan, who worked in a prince's palace, but was treated very badly there. Baoyu was very sympathetic towards him.

One day, someone from the prince's palace came to see Jia Zheng. He said Qiguan had ran away, and wondered if Baoyu knew his whereabouts. When Jia Zheng heard his son was friends with an actor he got very angry and had Baoyu beaten up. He felt the servants were hitting him too lightly, so he ended up hitting Baoyu himself. If Baoyu's grandmother didn't come to stop him, Baoyu would have died. After this, Baoyu still didn't believe he had done anything wrong, so in the end he left this repressive and unfair family.

17. 女儿国

nǚ ér guó

qīng lǐ rǔ zhēn jìng huā yuán
（清）李汝珍《镜花缘》

唐朝有个书生叫唐敖，他和两个朋友林之洋和多九公一起到海外去经商。

一天，他们来到一片陆地上，上岸以后，发现这里种地、做工、做买卖的都是女人，她们说话都粗声大气的，而且还穿着男人的衣服。唐敖觉得非常奇怪。

他们来到一家客店的门口，一个穿着男人衣服的女人出来欢迎他们，说自己就是这个客店的老板。她回头招呼人来帮忙，出来的是一个穿着女人衣服的男人。

虽然他身材很高大，脸上还长着胡子，可是他走起路来扭扭捏捏的，说话也细声细气的，脸上还擦着香粉和胭脂呢！唐敖他们觉得真是别扭极了。

渐渐地，唐敖他们才明白，这个地方叫女儿国，女人是掌管国家大事的，在外做事的也都是女人，男人反而在家里做家务。唐敖他们在街上做了几天买卖，有人来对他们说："你们的首饰和化妆品非常好，我们国王想买给宫'女'们用，你们进宫去谈谈价钱吧。"

谁想到，女国王一看到他们，就喜欢上了林之洋，而且不由分说，就封了林之洋做"娘娘"。于是，马上就有一大群宫"女"来给林之洋换衣服、戴花、擦胭脂；有人见他没有扎耳朵眼儿，就拿起针来替他扎了两个，疼得他直叫唤；还有人看到他还没有缠足，就拿来布条，把他的两只脚紧紧地缠了起来，这下林之洋走路都要人扶着才行。林之洋觉得缠足太痛苦了，就自己把布条放开了。国王知道了，说："你这样不守规矩，怎么行呢？得给你一些教训。"于是，叫人把他狠狠地打了一顿。不管他怎么挣扎哀求，国王还是下令把他关起来，准备过几天就成亲。

唐敖和多九公回到客店，左想右想，

xiǎng le hǎo jiǔ   cái xiǎng chū le yí ge bàn fǎ   xīn niáng jié hūn
想了好久，才想出了一个办法：新娘结婚

yǐ qián shì bù néng zài zhàng fu jiā zhù de   suǒ yǐ tā men jiù
以前是不能在丈夫家住的，所以他们就

xiàng guó wáng shuō   chéng qīn zhī qián   lín zhī yáng bì xū huí
向国王说："成亲之前，林之洋必须回

kè diàn zhù   děng chéng qīn de shí hou   nín zài pài rén lái jiē tā
客店住，等成亲的时候，您再派人来接他

jìn gōng ba   guó wáng dā ying bǎ lín zhī yáng fàng le huí lái
进宫吧。"国王答应把林之洋放了回来，

dàn shì zài kè diàn zhōu wéi pài rén bǎ shǒu
但是在客店周围派人把守。

晚上，趁着夜色，唐敖和多九公背着浑身伤痕的林之洋，躲过了国王卫兵的层层防守，急急忙忙跑出客店，上船逃离了这个稀奇古怪的女儿国。

Daughters' Country

(Qing Dynasty) Li Ruzhen *The Desting of the Mirrored Flowers*

During the Tang dynasty, there was a scholar named Tang, he and his two friends, Lin and Duo went overseas for trade. One day they boarded on a piece of land, where all the peasants, workers and merchants were women. The women spoke coarsely and wore men's clothing. Tang and his friends thought it was very strange. When they arrived at a restaurant, they saw the manager was a woman, but the waiter was a man in a woman's clothes, he wore make-up and walked like a woman. Gradually Tang and his friends realized they were at a place named Daughters' Country, where women ruled and worked, men stayed at home and did housework. One day, Tang and his friends were trading on the streets, when someone suggested to them that the king might want to buy their products. However when the female king saw them, she immediately liked Lin, and decided to make him one of her concubines. Lin was made to change and put on make-up, he had his ears pierced and feet bound as well. He took the foot binding off for he was in great pain. Seeing this the king punished him by having him beaten up and locked away planning to marry him in a few days. Tang and Duo thought of a way to save Lin, they told the king a would-be bride could not stay at the husband's place, so the king agreed to let Lin go back to his hotel. During nighttime, Tang and Duo carried the wounded Lin back on their boat, and escaped from the strange Daughters' Country.

né zhā nào hǎi
18. 哪吒闹海

míng xǔ zhòng lín 《fēng shén yǎn yì》
（明）许仲琳《封神演义》

cóng qián yǒu yí ge jiào lǐ jìng de rén tā de fū rén huái
从前，有一个叫李靖的人，他的夫人怀

yùn yǐ jing sān nián bàn le hái méi yǒu bǎ hái zi shēng chū lái
孕已经三年半了，还没有把孩子生出来，

lǐ jìng fēi cháng fán nǎo rèn wéi zhè ge hái zi yí dìng shì ge yāo
李靖非常烦恼，认为这个孩子一定是个妖

guài
怪。

yì tiān hái zi zhōng yú chū shēng le zhǎng de hé cháng rén
一天，孩子终于出生了，长得和常人

yí yàng dàn shì gāng chū shēng jiù kě yǐ zài dì shang pǎo lǐ
一样，但是刚出生就可以在地上跑。李

jìng hé fū rén dōu hěn xǐ huan tā gěi tā qǐ míng jiào né zhā né
靖和夫人都很喜欢他，给他起名叫哪吒。哪

zhā chū shēng shí shǒu shang tào zhe yí ge jīn huán jiào qián kūn
吒出生时，手上套着一个金环，叫乾坤

quān dù zi shang wéi zhe yì tiáo hóng líng jiào hún tiān líng zhè
圈，肚子上围着一条红绫，叫混天绫。这

liǎng yàng dōu shì jù yǒu shén lì de bǎo bèi
两样都是具有神力的宝贝。

yì tiān   né zhā wài chū sàn bù   zǒu rè le   jiù lái dào hǎi
一天，哪吒外出散步，走热了，就来到海

biān   yòng hún tiān líng zhàn shuǐ xǐ zǎo   hún tiān líng zài shuǐ zhōng
边，用混天绫蘸水洗澡。混天绫在水中

bǎi lái bǎi qù   jié guǒ bǎ dōng hǎi de shuǐ jīng gōng dōu huàng dòng
摆来摆去，结果把东海的水晶宫都晃动

le   xún hǎi de yè chā cóng hǎi li tiào chū lái   jiàn shì ge xiǎo hái
了。巡海的夜叉从海里跳出来，见是个小孩

zi   jiù mà dào   nǎ li lái de yě xiǎo zi   dǎn gǎn jiǎo rǎo lóng
子，就骂道："哪里来的野小子！胆敢搅扰龙

gōng   shuō wán jiù yào dǎ né zhā   né zhā jiàn tā zhè yàng wú
宫。"说完就要打哪吒。哪吒见他这样无

lǐ   shí fēn shēng qì   jiù jǔ qǐ qián kūn quān hé tā dòu qǐ lái
礼，十分生气，就举起乾坤圈和他斗起来，

结果把他打死了。龙王的三太子听说以后，就带着虾兵蟹将来杀哪吒，结果不但没有把哪吒杀死，反而被哪吒抓住，打死后把筋给抽了出来。

龙王听说儿子被哪吒打死了，嚎啕大哭。他跑到李靖那儿大骂："都是你没有好好儿管教儿子！我要到天上玉帝那儿去告你，把你全家都治罪！"李靖听了，非常害怕。他恨哪吒惹来了灾祸，一点儿也不听哪吒的解释，一定要让哪吒去向龙王请罪。哪吒不服，就从家里跑了出来。

在前往玉帝那儿的路上，哪吒截住了龙王，要龙王回去向李靖说明事情的由

来。龙王哪儿把小哪吒放在眼里,他想把

哪吒也一起带到玉帝那儿去,就来抓哪吒,结

果斗了半天,龙王打不过哪吒,反而被哪

吒教训了一顿。

龙王逃回龙宫后,越想越生气。他

召来了北海、西海、南海的三位龙王,一起

来找李靖,一定要让哪吒给他的儿子偿

命。李靖见四位龙王杀气腾腾地来到家

里,知道这场灾祸是躲不过去了。他正在

左右为难的时候,哪吒站了出来,对大家

说:"是我打死了夜叉和龙太子,一人做事

一人当,我绝不连累父母,让父母为难。父

母给了我生命,我却给父母惹了灾祸,实在

是不应该。现在我就把骨肉还给父母，也算
是给龙太子和夜叉偿命了，以后龙王就
不要再来找我父母的麻烦了。"说完，就拿
起宝剑自杀了。

哪吒死后，化成了一粒金丹，一位仙人
把金丹放在一朵莲花里，让哪吒又复活
了。哪吒肩披荷叶，身穿荷花裙，手持火
尖枪，脚踩风火轮，真是威风凛凛。他不
仅得以和父母团聚，后来还成了天上的
一位神将。

Ne Zha Troubling the Sea

(Ming Dynasty) Xu Zhonglin *Tales of Deities and Heroes*

Once a child was born after three years of pregnancy. He was born with a gold bangle in his hand and a piece of red silk wrapped around his stomach. He was named Ne Zha. One day, while Ne Zha was bathing in the sea, he used his red silk to wash himself. The movement shook the dragon's palace under the sea, so the dragon prince came to stop Ne Zha, but was killed by him. When the dragon king heard of his son's death, he was devastated. He told Ne Zha he was going to report him to the heavently emperor so Ne Zha's whole family would be punished. On his way to the heavens, Ne Zha stopped the dragon king and beat him up. The dragon king was furious so he gathered the dragon kings from the other three seas and went to Ne Zha's home. Ne Zha didn't want his parents to be punished for his doings, so he took a spear and killed himself. After Ne Zha died he turned into an immortal pill. A god came and placed the pill onto a lotus flower. Ne Zha came alive again and later became a marshal in the heavens.

19. 五鼠闹东京
wǔ shǔ nào dōng jīng

（清）石玉昆《三侠五义》
qīng shí yù kūn sān xiá wǔ yì

宋朝的时候，有一个武艺高强的人，叫展昭，连皇帝都听说他的名气了，于是，把他叫到皇宫里去演示武艺。展昭把自己的武艺演示了一番，皇帝看了很高兴。因为展昭身手轻灵敏捷，皇帝就给了他一个封号叫"御猫"。

这个封号传出去后，一个叫白玉堂的人听了以后非常生气。他是五个结拜兄弟中最小的一个，外号叫"锦毛鼠"。因为他们五个的外号都是"鼠"，所以白玉堂对

zhǎn zhāo hěn bù fú qì　　ér qiě yǒu xiē bù mǎn　rèn wéi zhǎn zhāo
展 昭 很 不 服 气 , 而 且 有 些 不 满 , 认 为 展 昭

de wài hào　māo　de yì si shì qiáo bu qǐ　shǔ　　yú shì
的 外 号 " 猫 " 的 意 思 是 瞧 不 起 " 鼠 " 。 于 是 ,

xiǎng zhǎo ge jī huì yě xiǎn shì yí xià zì jǐ de wǔ yì　　lìng wài
想 找 个 机 会 也 显 示 一 下 自 己 的 武 艺 , 另 外

yě gěi zhǎn zhāo zhǎo diǎnr　má fan　ràng tā zhī dào zhī dào zì jǐ
也 给 展 昭 找 点 儿 麻 烦 , 让 他 知 道 知 道 自 己

de lì hai
的 厉 害 。

bái yù táng bú gù jǐ ge xiōng dì de quàn shuō　zhàng zhe zì
白 玉 堂 不 顾 几 个 兄 弟 的 劝 说 , 仗 着 自

己的武艺偷偷地溜进了皇宫，在皇宫的

墙上写下了一首诗，又偷走了官府的三

件宝物。皇帝就派展昭来调查这件事。

展昭四处打听，知道是白玉堂跟自己

过不去，就一个人来到白玉堂住的地方，

想和他好好儿谈谈。谁知白玉堂早就准备

好了，展昭一到，就中了白玉堂的机关，

被他抓住，关进了一个又深又小的洞里。

白玉堂在洞里挂了一块牌子，上面写着

"气死猫"，还叫人每天在洞外故意大声

说笑，嘲笑展昭，让他在三天之内从

洞里出来，并把三件宝物拿回去，否则就要

把"御猫"的封号除掉。

bái yù táng de sì ge xiōng dì tīng shuō le zhè xiē shì　duì tā
白玉堂的四个兄弟听说了这些事，对他

zhè zhǒng zuò fǎ fēi cháng bù mǎn　rèn wéi zhè bú shì nán zǐ hàn
这种做法非常不满，认为这不是男子汉

dà zhàng fu yīng yǒu de xíng wéi　tā men quàn shuō le bàn tiān
大丈夫应有的行为。他们劝说了半天，

bái yù táng jiù shì bù tīng　yú shì tā men jiù tōu tōu de bǎ zhǎn
白玉堂就是不听。于是他们就偷偷地把展

zhāo fàng le chū lái　yòu bāng zhù tā ná huí sān jiàn bǎo wù
昭放了出来，又帮助他拿回三件宝物。

bái yù táng jiàn sì ge xiōng dì dōu bāng zhù zhǎn zhāo　bú dàn
白玉堂见四个兄弟都帮助展昭，不但

bù xiǎng xiǎng zì jǐ de zuò fǎ duì bú duì　fǎn ér guài tā men chū
不想想自己的做法对不对，反而怪他们出

mài xiōng dì　bāng zhù dí rén　tā yí qì zhī xià　xiǎng bú zài hé
卖兄弟，帮助敌人。他一气之下，想不再和

tā men zuò xiōng dì　yào dú zì dào yí ge xiǎo dǎo shang qù
他们做兄弟，要独自到一个小岛上去，

shéi yě bù lǐ le　zài tā chéng chuán de shí hou　tā de xiōng dì
谁也不理了。在他乘船的时候，他的兄弟

bàn zuò chuán fū　xiǎng zài quàn tā huí qù　bái yù táng fēi cháng
扮做船夫，想再劝他回去。白玉堂非常

gù zhí　bú dàn bù tīng　hái hé xiōng dì dǎ le qǐ lái　jié guǒ yì bù
固执，不但不听，还和兄弟打了起来，结果一不

xiǎo xīn　cóng chuán shang diào dào le shuǐ li　chà diǎnr　yān sǐ
小心，从船上掉到了水里，差点儿淹死。

兄弟们和展昭一起把他救上来，照顾他换衣服、洗澡，还摆酒饭和他一起吃。白玉堂见大家对自己这样好，想想从前自己的行为，确实是心胸很狭隘，就承认了错误，和兄弟们重新和好了。他见展昭不但武艺很高，而且为人宽容大度，热心助人，真不愧是一个英雄，就和他做了好朋友。

Five Rats in the Eastern Capital

(Qing Dynasty) Shi Yukun *Three Chivalrousmen and Five Brothers*

There was a martial arts expert in the Song dynasty named Zhan Zhao. When the emperor saw Zhan is so agile, he named him "the imperial cat". When a man Bai heard of this, he was very angry. He was the youngest of five sworn brothers with the nick name of "the five rats", he thought zhan's nickname "cat" was meant to belittle him "rat", so he set out to cause trouble for Zhan. He broke into the imperial palace and stole three treasures and left his name on the wall. Zhan was sent to bring back the treasure, so he went looking for Bai, planning to have a talk with him. But Bai was prepared; he set out a trap. When Zhan arrived, he was caught and locked into a cave. He dared Zhan to break free in three days and retrieve the treasures back; otherwise he has to change his nickname. When Bai's four brothers heard of this, they thought Bai's doings were cowardly and petty, so they freed Zhan and gave him back the three treasures. When Bai found out his brothers betrayed him, he got angry and decided to leave them and live on an island alone. Bai's four brothers and Zhan pretended to be boatsmen and tried to persuade for him to come back, but Bai was stubborn and fought the others, during which he fell off the boat and nearly drowned. The four brothers and Zhan saved him. Seeing the others were so good to him, Bai realized his petty and became embarrassed. He became one of the five rats again, and became good friends with Zhan.